V I S U E L L E S
WÖRTERBUCH

ENGLISCH - DEUTSCH

VISUELLES
WÖRTERBUCH

ENGLISCH - DEUTSCH

| Penguin Random House

Cheflektorat Liz Wheeler
Lektorat Angeles Gavira
Bildredaktion Phil Ormerod, Ina Stradins
DTP-Design Sunil Sharma, Balwant Singh, Harish Aggarwal, John Goldsmid, Ashwani Tyagi, Pankaj Sharma
Herstellung Liz Cherry
Bildrecherche Anna Grapes
Programmleitung Jonathan Metcalf

Design für DK WaltonCreative.com
Bildbetreuung Colin Walton
Assistenz Tracy Musson
Gestaltung Peter Radcliffe, Earl Neish, Ann Cannings
Bildrecherche Marissa Keating

Sprachteil für DK g-and-w Publishing
Leitung Jane Wightwick
Assistenz Ana Bremón
Übersetzung und Lektorat Christine Arthur
Weitere Unterstützung Dr. Arturo Pretel, Martin Prill, Frédéric Monteil, Meinrad Prill, Mari Bremón, Oscar Bremón, Anunchi Bremón, Leila Gaafar

Für die deutsche Ausgabe:
Programmleitung Monika Schlitzer
Projektbetreuung Christian Noß, Sebastian Twardokus
Herstellungsleitung Dorothee Whittaker
Herstellungskoordination Arnika Marx, Ksenia Lebedeva
Herstellung Kim Weghorn, Christine Rühmer

Titel der englischen Originalausgabe:
Bilingual Visual Dictionary English

Zusätzliche Übersetzungen Macfarlane International Business Services GmbH & Co. KG (Tübingen), Übersetzung 4U GmbH & Co. KG (Tübingen)

ISBN 978-3-8310-2967-9

Druck und Bindung TBB, Slowakei

MIX
FSC FSC® C022120

www.dk-germany.de

contents
Inhalt

people
• die Menschen

appearance • die äußere Erscheinung

health
• die Gesundheit

home • das Haus

services
• die Dienstleistungen

shopping
• der Einkauf

food
• die Nahrungsmittel

english • deutsch

eating out
• auswärts essen

study • das Lernen

work • die Arbeit

transport
• der Verkehr

sport • der Sport

leisure • die Freizeit

environment
• die Umwelt

reference
• die Information

about the dictionary

The use of pictures is proven to aid understanding and the retention of information. Working on this principle, this highly-illustrated bilingual dictionary presents a large range of useful current vocabulary in two European languages.

The dictionary is divided thematically and covers most aspects of the everyday world in detail, from the restaurant to the gym, the home to the workplace, outer space to the animal kingdom. You will also find additional words and phrases for conversational use and for extending your vocabulary.

This is an essential reference tool for anyone interested in languages – practical, stimulating, and easy-to-use.

A few things to note

The two languages are always presented in the same order – English and German.

In German, nouns are given with their definite articles reflecting the gender (masculine, feminine or neuter) and number (singular or plural), for example:

seed   **almonds**
der Samen   die Mandeln

Verbs are indicated by a (v) after the English, for example:

harvest (v) • ernten

Each language also has its own index at the back of the book. Here you can look up a word in either of the two languages and be referred to the page number(s) where it appears. The gender is shown using the following abbreviations:

m = masculine
f = feminine
n = neuter

über das Wörterbuch

Bilder helfen erwiesenermaßen, Informationen zu verstehen und zu behalten. Dieses zweisprachige Wörterbuch enthält eine Fülle von Illustrationen und präsentiert gleichzeitig ein umfangreiches aktuelles Vokabular in zwei europäischen Sprachen.

Das Wörterbuch ist thematisch gegliedert und behandelt eingehend die meisten Bereiche des heutigen Alltags, vom Restaurant und Fitnesscenter, Heim und Arbeitsplatz bis zum Tierreich und Weltraum. Es enthält außerdem Wörter und Redewendungen, die für die Unterhaltung nützlich sind und das Vokabular erweitern.

Dies ist ein wichtiges Nachschlagewerk für jeden, der sich für Sprachen interessiert – es ist praktisch, anregend und leicht zu benutzen.

Einige Anmerkungen

Die zwei Sprachen werden immer in der gleichen Reihenfolge aufgeführt – Englisch und Deutsch.

Substantive werden mit den bestimmten Artikeln, die das Geschlecht (Maskulinum, Femininum oder Neutrum) und den Numerus (Singular oder Plural) ausdrücken, angegeben, zum Beispiel:

seed   **almonds**
der Samen   die Mandeln

Die Verben sind durch ein (v) nach dem englischen Wort gekennzeichnet:

harvest (v) • ernten

Am Ende des Buchs befinden sich Register für jede Sprache. Sie können dort ein Wort in einer der zwei Sprachen und die jeweilige Seitenzahl nachsehen. Die Geschlechtsangabe erfolgt mit folgenden Abkürzungen:

m = Maskulinum
f = Femininum
n = Neutrum

how to use this book

Whether you are learning a new language for business, pleasure, or in preparation for a holiday abroad, or are hoping to extend your vocabulary in an already familiar language, this dictionary is a valuable learning tool which you can use in a number of different ways.

When learning a new language, look out for cognates (words that are alike in different languages) and false friends (words that look alike but carry significantly different meanings). You can also see where the languages have influenced each other. For example, English has imported many terms for food from other European languages but, in turn, exported terms used in technology and popular culture.

Practical learning activities
• As you move about your home, workplace, or college, try looking at the pages which cover that setting. You could then close the book, look around you and see how many of the objects and features you can name.
• Challenge yourself to write a story, letter, or dialogue using as many of the terms on a particular page as possible. This will help you retain the vocabulary and remember the spelling. If you want to build up to writing a longer text, start with sentences incorporating 2–3 words.
• If you have a very visual memory, try drawing or tracing items from the book onto a piece of paper, then close the book and fill in the words below the picture.
• Once you are more confident, pick out words in a foreign-language index and see if you know what they mean before turning to the relevant page to check if you were right.

die Benutzung des Buchs

Ganz gleich, ob Sie eine Sprache aus Geschäftsgründen, zum Vergnügen oder als Vorbereitung für einen Auslandsurlaub lernen, oder Ihr Vokabular in einer Ihnen bereits vertrauten Sprache erweitern möchten, dieses Wörterbuch ist ein wertvolles Lernmittel, das Sie auf vielfältige Art und Weise benutzen können.

Wenn Sie eine neue Sprache lernen, achten Sie auf Wörter, die in verschiedenen Sprachen ähnlich sind sowie auf falsche Freunde (Wörter, die ähnlich aussehen aber wesentlich andere Bedeutungen haben). Sie können ebenfalls feststellen, wie die Sprachen einander beeinflusst haben. Englisch hat zum Beispiel viele Ausdrücke für Nahrungsmittel aus anderen europäischen Sprachen übernommen und andererseits viele Begriffe aus der Technik und Popkultur ausgeführt.

Praktische Übungen
• Versuchen Sie sich zu Hause, am Arbeits- oder Studienplatz den Inhalt der Seiten einzuprägen, die Ihre Umgebung behandeln. Schließen Sie dann das Buch und prüfen Sie, wie viele Gegenstände Sie in der anderen Sprache sagen können.
• Schreiben Sie eine Geschichte, einen Brief oder Dialog und benutzen Sie dabei möglichst viele Ausdrücke von einer bestimmten Seite des Wörterbuchs. Dies ist eine gute Methode, sich das Vokabular und die Schreibweise einzuprägen. Sie können mit kurzen Sätzen von zwei bis drei Worten anfangen und dann nach und nach längere Texte schreiben.
• Wenn Sie ein visuelles Gedächtnis haben, können Sie Gegenstände aus dem Buch abzeichnen oder abpausen. Schließen Sie dann das Buch und schreiben Sie die passenden Wörter unter die Bilder.
• Wenn Sie mehr Sicherheit haben, können Sie Wörter aus dem Fremdsprachenregister aussuchen und deren Bedeutung aufschreiben, bevor Sie auf der entsprechenden Seite nachsehen.

english • deutsch

people
die Menschen

body • der Körper

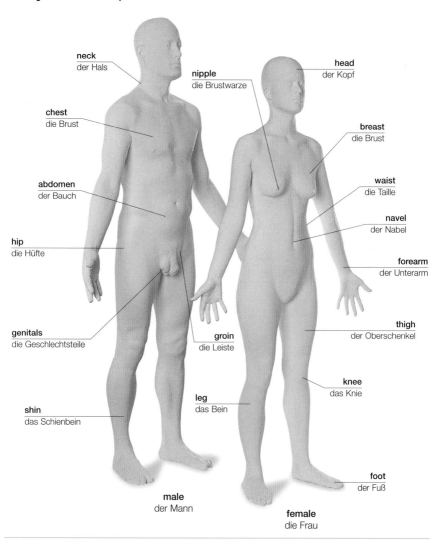

neck
der Hals

nipple
die Brustwarze

head
der Kopf

chest
die Brust

breast
die Brust

abdomen
der Bauch

waist
die Taille

navel
der Nabel

hip
die Hüfte

forearm
der Unterarm

genitals
die Geschlechtsteile

groin
die Leiste

thigh
der Oberschenkel

knee
das Knie

shin
das Schienbein

leg
das Bein

foot
der Fuß

male
der Mann

female
die Frau

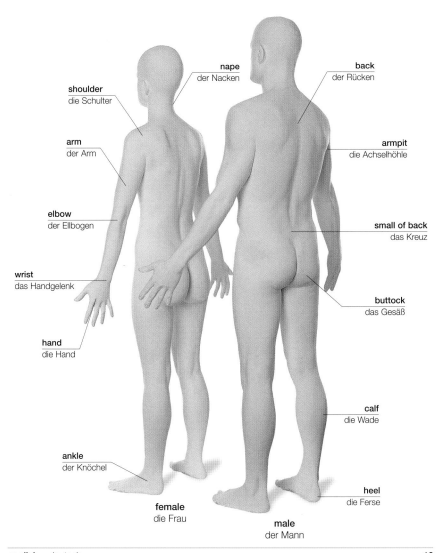

shoulder
die Schulter

nape
der Nacken

back
der Rücken

arm
der Arm

armpit
die Achselhöhle

elbow
der Ellbogen

small of back
das Kreuz

wrist
das Handgelenk

buttock
das Gesäß

hand
die Hand

calf
die Wade

ankle
der Knöchel

heel
die Ferse

female
die Frau

male
der Mann

face • das Gesicht

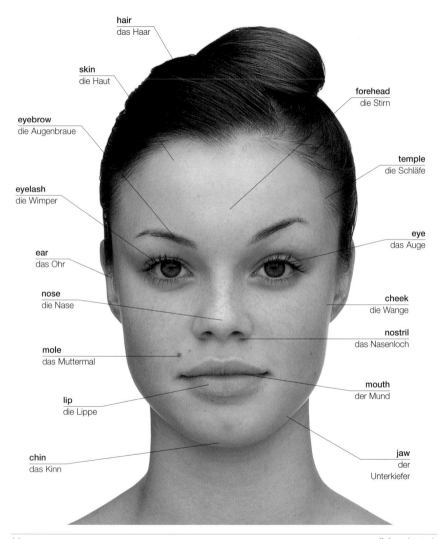

hair
das Haar

skin
die Haut

eyebrow
die Augenbraue

eyelash
die Wimper

ear
das Ohr

nose
die Nase

mole
das Muttermal

lip
die Lippe

chin
das Kinn

forehead
die Stirn

temple
die Schläfe

eye
das Auge

cheek
die Wange

nostril
das Nasenloch

mouth
der Mund

jaw
der
Unterkiefer

wrinkle
die Falte

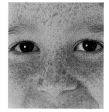

freckle
die Sommersprosse

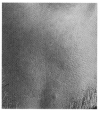

pore
die Pore

dimple
das Grübchen

hand • die Hand

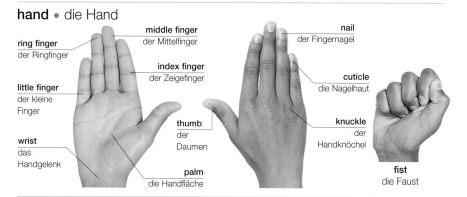

ring finger
der Ringfinger

middle finger
der Mittelfinger

nail
der Fingernagel

index finger
der Zeigefinger

little finger
der kleine
Finger

cuticle
die Nagelhaut

thumb
der
Daumen

knuckle
der
Handknöchel

wrist
das
Handgelenk

palm
die Handfläche

fist
die Faust

foot • der Fuß

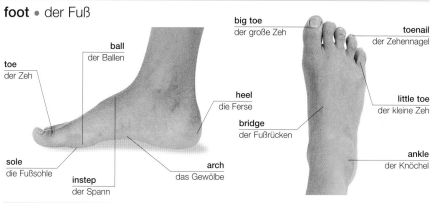

big toe
der große Zeh

toenail
der Zehennagel

ball
der Ballen

toe
der Zeh

heel
die Ferse

little toe
der kleine Zeh

bridge
der Fußrücken

sole
die Fußsohle

ankle
der Knöchel

instep
der Spann

arch
das Gewölbe

muscles • die Muskeln

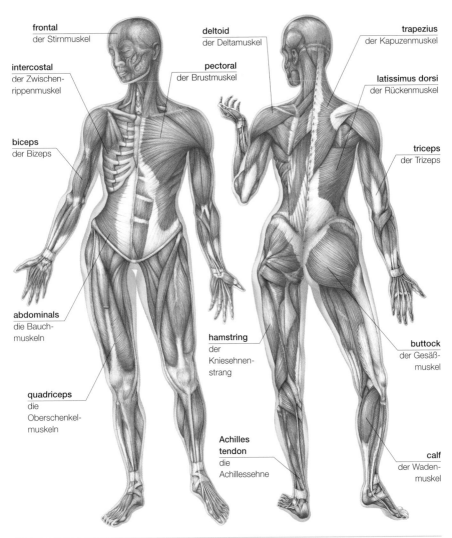

frontal
der Stirnmuskel

deltoid
der Deltamuskel

trapezius
der Kapuzenmuskel

intercostal
der Zwischen-
rippenmuskel

pectoral
der Brustmuskel

latissimus dorsi
der Rückenmuskel

biceps
der Bizeps

triceps
der Trizeps

abdominals
die Bauch-
muskeln

hamstring
der
Kniesehnen-
strang

buttock
der Gesäß-
muskel

quadriceps
die
Oberschenkel-
muskeln

**Achilles
tendon**
die
Achillessehne

calf
der Waden-
muskel

skeleton • das Skelett

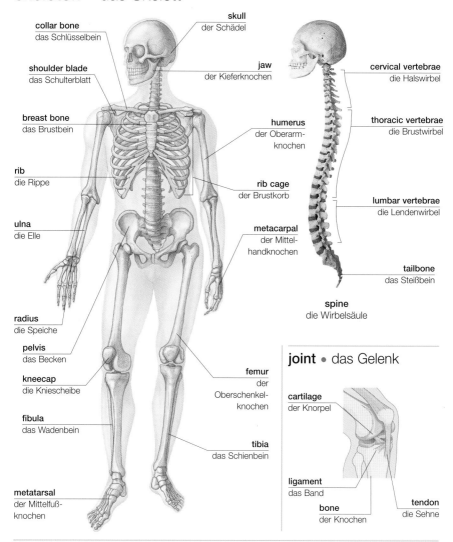

collar bone
das Schlüsselbein

skull
der Schädel

shoulder blade
das Schulterblatt

jaw
der Kieferknochen

cervical vertebrae
die Halswirbel

breast bone
das Brustbein

humerus
der Oberarm-
knochen

thoracic vertebrae
die Brustwirbel

rib
die Rippe

rib cage
der Brustkorb

ulna
die Elle

lumbar vertebrae
die Lendenwirbel

metacarpal
der Mittel-
handknochen

radius
die Speiche

tailbone
das Steißbein

pelvis
das Becken

spine
die Wirbelsäule

kneecap
die Kniescheibe

femur
der
Oberschenkel-
knochen

joint • das Gelenk

fibula
das Wadenbein

cartilage
der Knorpel

tibia
das Schienbein

metatarsal
der Mittelfuß-
knochen

ligament
das Band

bone
der Knochen

tendon
die Sehne

internal organs • die inneren Organe

thyroid gland
die Schilddrüse

liver
die Leber

windpipe
die Luftröhre

duodenum
der Zwölf-
fingerdarm

lung
die Lunge

kidney
die Niere

heart
das Herz

stomach
der Magen

pancreas
die Bauch-
speicheldrüse

spleen
die Milz

small intestine
der Dünndarm

large
intestine
der Dickdarm

appendix
der Blinddarm

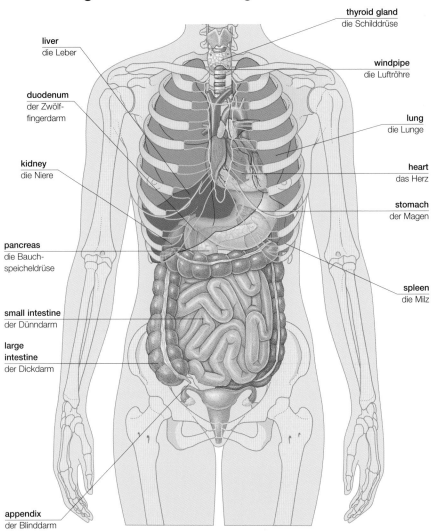

english • deutsch

head • der Kopf

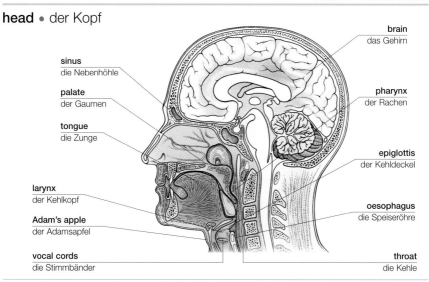

brain
das Gehirn

sinus
die Nebenhöhle

palate
der Gaumen

tongue
die Zunge

pharynx
der Rachen

epiglottis
der Kehldeckel

larynx
der Kehlkopf

Adam's apple
der Adamsapfel

oesophagus
die Speiseröhre

vocal cords
die Stimmbänder

throat
die Kehle

body systems • die Körpersysteme

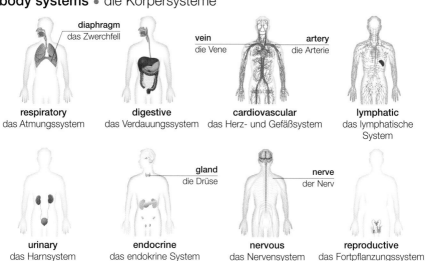

diaphragm
das Zwerchfell

vein
die Vene

artery
die Arterie

respiratory
das Atmungssystem

digestive
das Verdauungssystem

cardiovascular
das Herz- und Gefäßsystem

lymphatic
das lymphatische
System

gland
die Drüse

nerve
der Nerv

urinary
das Harnsystem

endocrine
das endokrine System

nervous
das Nervensystem

reproductive
das Fortpflanzungssystem

reproductive organs • die Fortpflanzungsorgane

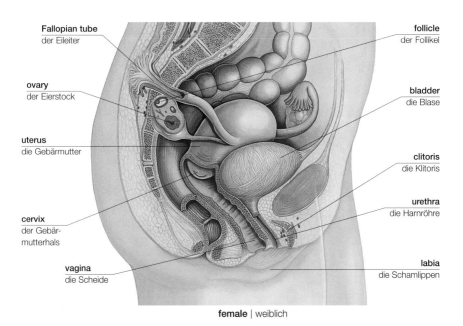

Fallopian tube der Eileiter	**follicle** der Follikel
ovary der Eierstock	**bladder** die Blase
uterus die Gebärmutter	**clitoris** die Klitoris
cervix der Gebär- mutterhals	**urethra** die Harnröhre
vagina die Scheide	**labia** die Schamlippen

female | weiblich

reproduction
• die Fortpflanzung

sperm
das Spermium

egg
das Ei

fertilization | die Befruchtung

vocabulary • Vokabular

hormone das Hormon	**impotent** impotent	**menstruation** die Menstruation
ovulation der Eisprung	**fertile** fruchtbar	**intercourse** der Geschlechtsverkehr
infertile steril	**conceive** empfangen	**sexually transmitted disease** die Geschlechtskrankheit

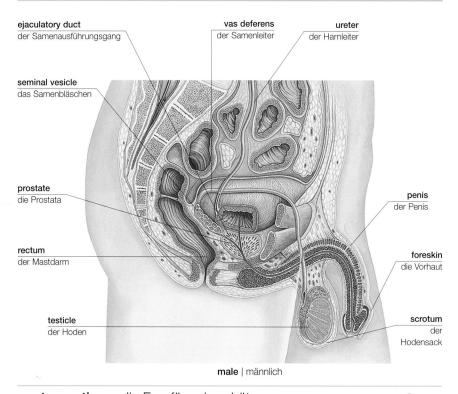

ejaculatory duct
der Samenausführungsgang

vas deferens
der Samenleiter

ureter
der Harnleiter

seminal vesicle
das Samenbläschen

prostate
die Prostata

penis
der Penis

rectum
der Mastdarm

foreskin
die Vorhaut

testicle
der Hoden

scrotum
der Hodensack

male | männlich

contraception • die Empfängnisverhütung

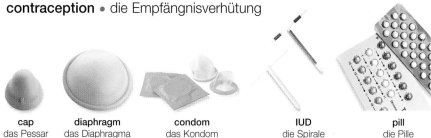

cap
das Pessar

diaphragm
das Diaphragma

condom
das Kondom

IUD
die Spirale

pill
die Pille

family • die Familie

grandmother
die Großmutter

grandfather
der Großvater

uncle
der Onkel

aunt
die Tante

father
der Vater

mother
die Mutter

cousin
der Cousin

brother
der Bruder

sister
die Schwester

wife
die Ehefrau

daughter-in-law
die
Schwiegertochter

son
der Sohn

daughter
die Tochter

son-in-law
der Schwiegersohn

grandson
der Enkel

granddaughter
die Enkelin

husband
der Ehemann

vocabulary • Vokabular

relatives die Verwandten	**parents** die Eltern	**grandchildren** die Enkelkinder	**stepmother** die Stiefmutter	**stepson** der Stiefsohn	**generation** die Generation
grandparents die Großeltern	**children** die Kinder	**stepfather** der Stiefvater	**stepdaughter** die Stieftochter	**partner** der Partner/die Partnerin	**twins** die Zwillinge

stages • die Stadien

mother-in-law
die Schwiegermutter

father-in-law
der Schwiegervater

baby
das Baby

child
das Kind

brother-in-law
der Schwager

sister-in-law
die Schwägerin

boy
der Junge

girl
das Mädchen

teenager
die Jugendliche

adult
der Erwachsene

Mr
Herr

Miss
Fräulein

niece
die Nichte

nephew
der Neffe

titles
• die Anreden

Mrs
Frau

man
der Mann

woman
die Frau

relationships • die Beziehungen

assistant
die Assistentin

manager
der Chef

business partner
die Geschäftspartnerin

employer
der Arbeitgeber

employee
die Arbeitnehmerin

colleague
der Kollege

office | das Büro

neighbour
die Nachbarin

friend
der Freund

acquaintance
der Bekannte

penfriend
der Brieffreund

boyfriend
der Freund

girlfriend
die Freundin

fiancé
der Verlobte

fiancée
die Verlobte

couple | das Paar

engaged couple | die Verlobten

emotions • die Gefühle

smile
das Lächeln

happy
glücklich

sad
traurig

excited
begeistert

bored
gelangweilt

surprised
überrascht

scared
erschrocken

frown
das Stirnrunzeln

angry
verärgert

confused
verwirrt

worried
besorgt

nervous
nervös

proud
stolz

confident
selbstsicher

embarrassed
verlegen

shy
schüchtern

vocabulary • Vokabular

upset aufgebracht	**laugh (v)** lachen	**sigh (v)** seufzen	**shout (v)** schreien
shocked schockiert	**cry (v)** weinen	**yawn (v)** gähnen	**faint (v)** in Ohnmacht fallen

life events • die Ereignisse des Lebens

be born (v)
geboren werden

start school (v)
zur Schule kommen

make friends (v)
sich anfreunden

graduate (v)
graduieren

get a job (v)
eine Stelle bekommen

fall in love (v)
sich verlieben

get married (v)
heiraten

have a baby (v)
ein Baby bekommen

wedding | die Hochzeit

divorce
die Scheidung

funeral
das Begräbnis

vocabulary • Vokabular

christening die Taufe	**die (v)** sterben
bar mitzvah die Bar-Mizwa	**make a will (v)** sein Testament machen
confirmation die Konfirmation	**birth certificate** die Geburtsurkunde
anniversary der Hochzeitstag	**wedding reception** die Hochzeitsfeier
emigrate (v) emigrieren	**honeymoon** die Hochzeitsreise
retire (v) in den Ruhestand treten	

celebrations • die Feiern

festivals
• die Feste

card
die Karte

birthday party
die Geburtstagsfeier

birthday
der Geburtstag

present
das Geschenk

Christmas
das Weihnachten

Passover
das Passah

New Year
das Neujahr

carnival
der Karneval

procession
der Umzug

Ramadan
der Ramadan

ribbon
das Band

Thanksgiving
das Erntedankfest

Easter
das Ostern

Halloween
das Halloween

Diwali
das Diwali

appearance
die äußere Erscheinung

children's clothing • die Kinderkleidung

baby • das Baby

snowsuit
der Schneeanzug

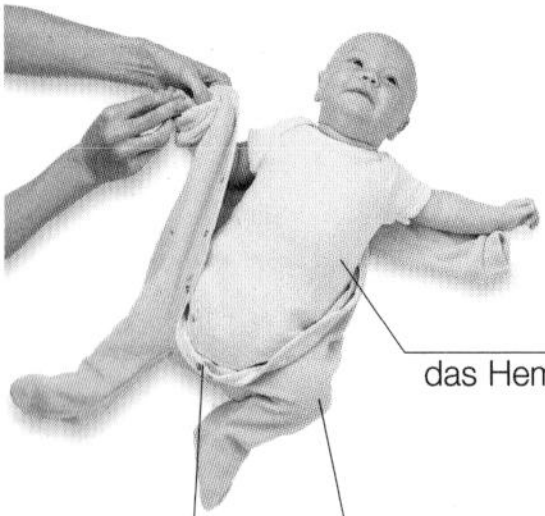

vest
das Hemdchen

popper
der
Druckknopf

babygro
der Strampelanzug

sleepsuit
der Schlafanzug

romper suit
der Spielanzug

bib
das Lätzchen

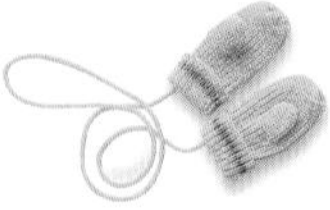

mittens
die Babyhandschuhe

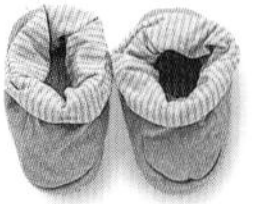

booties
die Babyschuhe

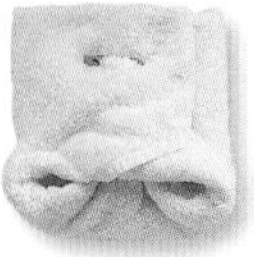

terry nappy
die Stoffwindel

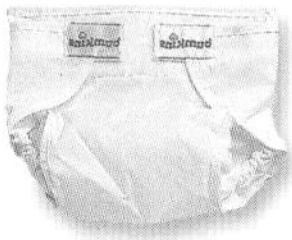

disposable nappy
die Wegwerfwindel

plastic pants
das
Gummihöschen

toddler • das Kleinkind

t-shirt
das T-Shirt

dungarees
die Latzhose

sunhat
der Sonnenhut

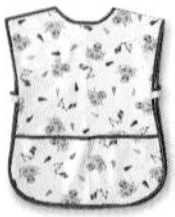

apron
die Schürze

shorts
die Shorts

skirt
der Rock

child • das Kind

dress
das Kleid

hood
die Kapuze

jeans
die Jeans

sandals
die Sandalen

backpack
der Rucksack

toggle
der Knebelknopf

scarf
der Schal

anorak
der Anorak

wellington boots
die Gummistiefel

summer
der Sommer

raincoat
der Regenmantel

autumn
der Herbst

duffel coat
der Dufflecoat

winter
der Winter

dressing gown
der Morgenrock

logo
das Logo

trainers
die Sportschuhe

nightie
das Nachthemd

slippers
die Hausschuhe

nightwear
die Nachtwäsche

football strip
der Fußballdress

tracksuit
der Trainingsanzug

leggings
die Leggings

vocabulary • Vokabular

natural fibre
die Naturfaser

synthetic
synthetisch

Is it machine washable?
Ist es waschmaschinenfest?

Will this fit a two-year-old?
Passt das einem Zweijährigen?

men's clothing • die Herrenkleidung

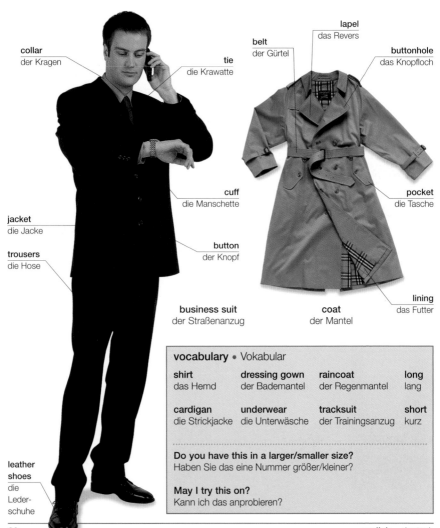

collar
der Kragen

tie
die Krawatte

lapel
das Revers

belt
der Gürtel

buttonhole
das Knopfloch

cuff
die Manschette

jacket
die Jacke

trousers
die Hose

button
der Knopf

pocket
die Tasche

leather
shoes
die
Leder-
schuhe

lining
das Futter

business suit
der Straßenanzug

coat
der Mantel

vocabulary • Vokabular

shirt	dressing gown	raincoat	long
das Hemd	der Bademantel	der Regenmantel	lang
cardigan	underwear	tracksuit	short
die Strickjacke	die Unterwäsche	der Trainingsanzug	kurz

Do you have this in a larger/smaller size?
Haben Sie das eine Nummer größer/kleiner?

May I try this on?
Kann ich das anprobieren?

v-neck
der V-Ausschnitt

round neck
der runde
Ausschnitt

blazer
der Blazer

sports jacket
das Sportjackett

waistcoat
die Weste

t-shirt
das T-Shirt

anorak
der Anorak

sweatshirt
das Sweatshirt

shirt
das Hemd

jeans
die Jeans

sweater
der Pullover

pyjamas
der Schlafanzug

vest
das Unterhemd

casual wear
die Freizeitkleidung

shorts
die Shorts

briefs
der Slip

boxer shorts
die Boxershorts

socks
die Socken

women's clothing • die Damenkleidung

jacket
die Jacke

seam
die Naht

strapless
trägerlos

sleeveless
ärmellos

sleeve
der Ärmel

ankle length
knöchellang

evening dress
das Abendkleid

dress
das Kleid

skirt
der Rock

blouse
die Bluse

trousers
die Hose

hem
der Saum

knee-length
knielang

shoes
die Schuhe

formal
förmlich

casual
leger

lingerie • die Unterwäsche

wedding • die Hochzeit

strap
der Träger

dressing gown
der Morgenmantel

slip
der Unterrock

camisole
das Mieder

suspenders
der Strumpfhalter

basque
das Bustier

stocking
der Strumpf

tights
die Strumpfhose

lace
die Spitze

veil
der Schleier

bouquet
das Bukett

train
die Schleppe

wedding dress
das Hochzeitskleid

bra
der Büstenhalter

knickers
der Slip

nightdress
das Nachthemd

vocabulary • Vokabular

corset das Korsett	**tailored** gut geschnitten
garter das Strumpfband	**halter neck** rückenfrei
waistband der Rockbund	**sports bra** der Sport-BH
shoulder pad das Schulterpolster	**underwired** mit Formbügeln

accessories • die Accessoires

buckle
die Gürtelschnalle

handle
der Griff

tip
die Spitze

cap
die Mütze

hat
der Hut

scarf
der Schal

belt
der Gürtel

handkerchief
das Taschentuch

bow tie
die Fliege

tie-pin
die Krawattennadel

gloves
die Handschuhe

umbrella
der Regenschirm

jewellery • der Schmuck

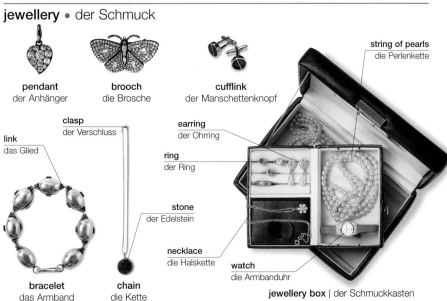

pendant
der Anhänger

brooch
die Brosche

cufflink
der Manschettenknopf

string of pearls
die Perlenkette

clasp
der Verschluss

link
das Glied

earring
der Ohrring

ring
der Ring

stone
der Edelstein

necklace
die Halskette

watch
die Armbanduhr

bracelet
das Armband

chain
die Kette

jewellery box | der Schmuckkasten

english • deutsch

bags • die Taschen

wallet
die Brieftasche

purse
das Portemonnaie

shoulder bag
die Umhängetasche

fastening
der Verschluss

shoulder strap
der Schulterriemen

handles
die Griffe

holdall
die Reisetasche

briefcase
die Aktentasche

handbag
die Handtasche

backpack
der Rucksack

shoes • die Schuhe

lace
der Schnürsenkel

eyelet
die Öse

sole
die Sohle

tongue
die Zunge

heel
der Absatz

walking boot
der Wanderschuh

trainer
der Sportschuh

lace-up
der Schnürschuh

boot
der Stiefel

flip-flop
die Strandsandale

leather shoe
der Lederschuh

high heel shoe
der Schuh mit
hohem Absatz

wedge
der Keilschuh

sandal
die Sandale

slip-on
der Slipper

pump
der Ballerina

hair • das Haar

comb
der Kamm

comb (v)
kämmen

brush
die
Haarbürste

brush (v) | bürsten

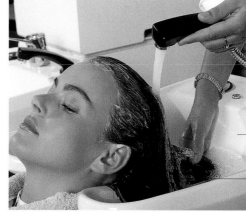

hairdresser
die Friseurin

sink
das Waschbecken

client
die Kundin

wash (v) | waschen

robe
der Frisierumhang

rinse (v)
ausspülen

cut (v)
schneiden

blow dry (v)
föhnen

set (v)
legen

accessories • die Frisierartikel

hairdryer
der Föhn

shampoo
das Shampoo

conditioner
die Haarspülung

gel
das Haargel

hairspray
das Haarspray

curling tongs
der Lockenstab

scissors
die Schere

hairband
der Haarreif

hair straighteners
das Glätteisen

hairpin
die Haarklammer

styles • die Frisuren

ponytail
der Pferdeschwanz

plait
der Zopf

french pleat
die Hochfrisur

bun
der Haarknoten

pigtails
die Rattenschwänze

bob
der Pagenkopf

crop
der Kurzhaarschnitt

curly
lockig

perm
die Dauerwelle

straight
glatt

roots
die Wurzeln

highlights
die Strähnchen

bald
kahl

wig
die Perücke

vocabulary • Vokabular

hairtie das Haarband	**greasy** fettig
trim (v) nachschneiden	**dry** trocken
barber der Herrenfriseur	**normal** normal
dandruff die Schuppen	**scalp** die Kopfhaut
split ends der Haarspliss	**straighten (v)** glätten

colours • die Haarfarben

blonde
blond

brunette
brünett

auburn
rotbraun

ginger
rot

black
schwarz

grey
grau

white
weiß

dyed
gefärbt

beauty • die Schönheit

hair dye
das Haarfärbemittel

eye shadow
der Lidschatten

mascara
die Wimperntusche

eyeliner
der Eyeliner

blusher
das Puderrouge

foundation
die Grundierung

lipstick
der Lippenstift

make-up • das Make-up

eyebrow pencil
der Augenbrauenstift

eyebrow brush
das Brauenbürstchen

tweezers
die Pinzette

lip gloss
das Lipgloss

lip brush
der Lippenpinsel

lip liner
der Lippenkonturenstift

brush
der Puderpinsel

concealer
der Korrekturstift

mirror
der Spiegel

face powder
der Gesichtspuder

powder puff
die Puderquaste

compact | die Puderdose

beauty treatments
• die Schönheitsbehandlungen

face pack
die Gesichtsmaske

sunbed
die Sonnenbank

facial
die Gesichtsbehandlung

exfoliate
Peeling machen

wax
die Enthaarung

pedicure
die Pediküre

manicure • die Maniküre

nail varnish remover
der Nagellackentferner

nail file
die Nagelfeile

nail varnish
der Nagellack

nail scissors
die Nagelschere

nail clippers
der Nagelknipser

toiletries • die Toilettenartikel

cleanser
der Reiniger

toner
das Gesichts-
wasser

moisturizer
die Feuchtig-
keitscreme

**self-tanning
cream**
die Selbst-
bräunungscreme

perfume
das Parfum

eau de toilette
das Eau de
Toilette

vocabulary • Vokabular

fair hell	**complexion** der Teint	**tan** die Sonnenbräune
dark dunkel	**sensitive** empfindlich	**tattoo** die Tätowierung
dry trocken	**anti-wrinkle** Antifalten-	**cotton balls** die Wattebällchen
oily fettig	**shade** der Farbton	**hypoallergenic** hypoallergen

health
die Gesundheit

illness • die Krankheit

headache
die Kopfschmerzen

nosebleed
das Nasenbluten

cough
der Husten

fever | das Fieber

sneeze
das Niesen

cold
die Erkältung

flu
die Grippe

inhaler
der Inhalations-
apparat

asthma
das Asthma

cramps
die Krämpfe

nausea
die Übelkeit

chickenpox
die Windpocken

rash
der Hautausschlag

---

vocabulary • Vokabular

heart attack der Herzinfarkt	**migraine** die Migräne	**infection** die Infektion	**chill** die Verkühlung	**diarrhoea** der Durchfall
stroke der Schlaganfall	**diabetes** die Zuckerkrankheit	**vomit (v)** sich übergeben	**epilepsy** die Epilepsie	**measles** die Masern
blood pressure der Blutdruck	**eczema** das Ekzem	**faint (v)** in Ohnmacht fallen	**hayfever** der Heuschnupfen	**mumps** der Mumps
allergy die Allergie	**virus** der Virus	**stomach ache** die Magenschmerzen		

---

english • deutsch

doctor • der Arzt
consultation • die Konsultation

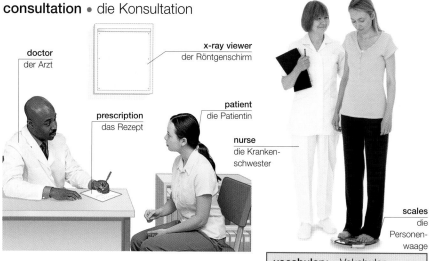

doctor
der Arzt

x-ray viewer
der Röntgenschirm

prescription
das Rezept

patient
die Patientin

nurse
die Kranken-
schwester

scales
die
Personen-
waage

electric blood pressure monitor
das elektrische Blutdruckmessgerät

cuff
die Luftmanschette

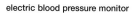

vocabulary • Vokabular

appointment
der Termin

inoculation
die Impfung

waiting room
das Warte-
zimmer

thermometer
das Thermometer

surgery
das
Sprechzimmer

**medical
examination**
die Untersuchung

I need to see a doctor.
Ich muss einen Arzt sprechen.

It hurts here.
Es tut hier weh.

injury • die Verletzung

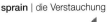

sling
die Schlinge

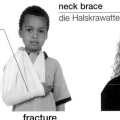

neck brace
die Halskrawatte

sprain | die Verstauchung

fracture
die Fraktur

whiplash
das Schleudertrauma

cut
der Schnitt

graze
die Abschürfung

bruise
der blaue Fleck

splinter
der Splitter

sunburn
der Sonnenbrand

burn
die Brandwunde

bite
der Biss

sting
der Stich

---

vocabulary • Vokabular

accident der Unfall	**haemorrhage** die Blutung	**head injury** die Kopfverletzung	**Will he/she be all right?** Wird er/sie es gut überstehen?
emergency der Notfall	**blister** die Blase	**electric shock** der elektrische Schlag	**Please call an ambulance.** Rufen Sie bitte einen Krankenwagen
wound die Wunde	**poisoning** die Vergiftung	**concussion** die Gehirnerschütterung	**Where does it hurt?** Wo haben Sie Schmerzen?

---

first aid • die Erste Hilfe

ointment
die Salbe

plaster
das Pflaster

safety pin
die Sicher-
heitsnadel

bandage
die Bandage

painkillers
die Schmerz-
tabletten

antiseptic wipe
das Desinfektionstuch

tweezers
die Pinzette

scissors
die Schere

antiseptic
das Antiseptikum

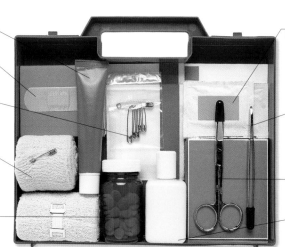

first aid box | der Erste-Hilfe-Kasten

gauze
die Gaze

dressing
der Verband

splint | die Schiene

adhesive tape
das Leukoplast

resuscitation
die Wiederbelebung

vocabulary • Vokabular

shock der Schock	**pulse** der Puls	**choke (v)** ersticken	**Can you help?** Können Sie mir helfen?
unconscious bewusstlos	**breathing** die Atmung	**sterile** steril	**Do you know first aid?** Beherrschen Sie die Erste Hilfe?

hospital • das Krankenhaus

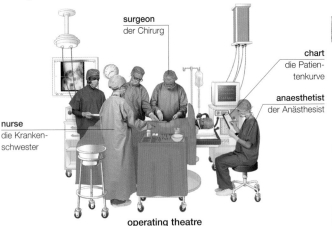

surgeon
der Chirurg

chart
die Patientenkurve

anaesthetist
der Anästhesist

nurse
die Krankenschwester

operating theatre
der Operationssaal

blood test
die Blutuntersuchung

injection
die Spritze

x-ray
die Röntgenaufnahme

scan
das CT-Bild

trolley
die fahrbare Liege

call button
der Rufknopf

emergency room
die Notaufnahme

ward
das Patientenzimmer

wheelchair
der Rollstuhl

vocabulary • Vokabular

operation die Operation	**discharged** entlassen	**visiting hours** die Besuchszeiten	**maternity ward** die Entbindungsstation	**intensive care unit** die Intensivstation
admitted aufgenommen	**clinic** die Klinik	**children's ward** die Kinderstation	**private room** das Privatzimmer	**outpatient** der ambulante Patient

english • deutsch

departments • die Abteilungen

ENT
die HNO-Abteilung

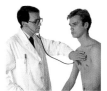

cardiology
die Kardiologie

orthopaedy
die Orthopädie

gynaecology
die Gynäkologie

physiotherapy
die Physiotherapie

dermatology
die Dermatologie

paediatrics
die Kinderheilkunde

radiology
die Radiologie

surgery
die Chirurgie

maternity
die Entbindungsstation

psychiatry
die Psychiatrie

ophthalmology
die Augenheilkunde

---

vocabulary • Vokabular

neurology die Neurologie	**urology** die Urologie	**plastic surgery** die plastische Chirurgie	**pathology** die Pathologie	**result** das Ergebnis
oncology die Onkologie	**endocrinology** die Endokrinologie	**referral** die Überweisung	**test** die Untersuchung	**consultant** der Facharzt

---

dentist • der Zahnarzt

tooth • der Zahn

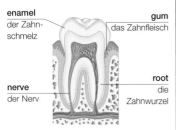

enamel
der Zahn-
schmelz

gum
das Zahnfleisch

nerve
der Nerv

root
die
Zahnwurzel

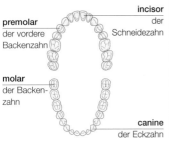

premolar
der vordere
Backenzahn

incisor
der
Schneidezahn

molar
der Backen-
zahn

canine
der Eckzahn

check-up • der Check-up

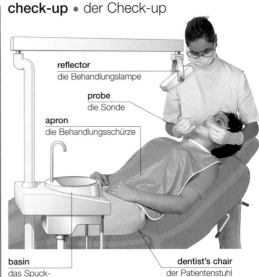

reflector
die Behandlungslampe

probe
die Sonde

apron
die Behandlungsschürze

basin
das Spuck-
becken

dentist's chair
der Patientenstuhl

vocabulary • Vokabular

toothache	**drill**
die Zahnschmerzen	der Bohrer
plaque	**dental floss**
der Zahnbelag	die Zahnseide
decay	**extraction**
die Karies	die Extraktion
filling	**crown**
die Zahnfüllung	die Krone

floss (v)
mit Zahnseide
reinigen

brush (v)
bürsten

brace
die Zahnspange

dental x-ray
die Röntgen-
aufnahme

x-ray film
das Röntgenbild

dentures
die Zahnprothese

optician • der Augenoptiker

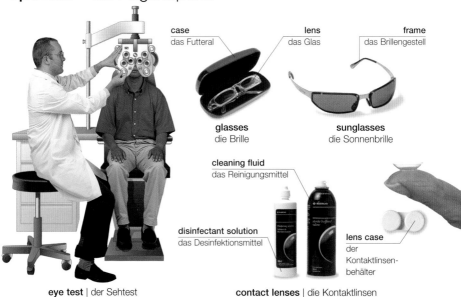

case
das Futteral

lens
das Glas

frame
das Brillengestell

glasses
die Brille

sunglasses
die Sonnenbrille

cleaning fluid
das Reinigungsmittel

disinfectant solution
das Desinfektionsmittel

lens case
der Kontaktlinsen-behälter

eye test | der Sehtest

contact lenses | die Kontaktlinsen

eye • das Auge

eyebrow
die Augenbraue

eyelid
das Lid

pupil
die Pupille

eyelash
die Wimper

iris
die Iris

retina
die Netzhaut

lens
die Linse

cornea
die Hornhaut

optic nerve
der Sehnerv

vocabulary • Vokabular	
vision die Sehkraft	**astigmatism** der Astigmatismus
diopter die Dioptrie	**long sight** die Weitsichtigkeit
tear die Träne	**short sight** die Kurzsichtigkeit
cataract der graue Star	**bifocal** bifokal

pregnancy • die Schwangerschaft

cervix
der Gebärmutterhals

pregnancy test
der Schwangerschaftstest

scan
die Ultraschallaufnahme

umbilical cord
die Nabelschnur

placenta
die Plazenta

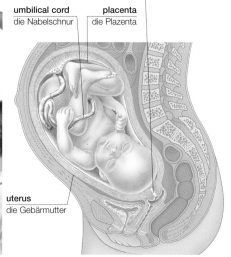

uterus
die Gebärmutter

ultrasound | der Ultraschall

foetus | der Fötus

vocabulary • Vokabular

ovulation der Eisprung	**trimester** das Trimester	**break waters (v)** das Fruchtwasser geht ab	**stitches** die Naht	**breech birth** die Steißgeburt
conception die Empfängnis	**embryo** der Embryo	**dilation** die Erweiterung	**expectant** schwanger	**premature** vorzeitig
pregnant schwanger	**womb** die Gebärmutter	**caesarean section** der Kaiserschnitt	**contraction** die Wehe	**gynaecologist** der Gynäkologe
delivery die Entbindung	**amniotic fluid** das Fruchtwasser	**episiotomy** der Dammschnitt	**birth** die Geburt	**obstetrician** der Geburtshelfer
antenatal vorgeburtlich	**amniocentesis** die Amniozentese	**epidural** die Periduralanästhesie	**miscarriage** die Fehlgeburt	

childbirth • die Geburt

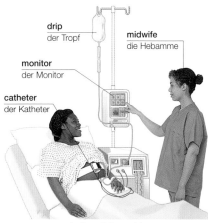

drip
der Tropf

midwife
die Hebamme

monitor
der Monitor

catheter
der Katheter

induce labour (v)
die Geburt einleiten

incubator | der Brutkasten

birth weight
das Geburtsgewicht

forceps
die Geburtszange

ventouse cup
die Saugglocke

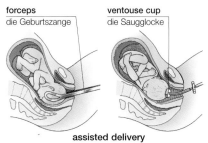

assisted delivery
die assistierte Entbindung

identity tag
das Namensbändchen

newborn baby
das Neugeborene

nursing • das Stillen

breast pump
die Milchpumpe

nursing bra
der Stillbüstenhalter

breastfeed (v)
stillen

pads
die Einlagen

alternative therapy • die Alternativtherapien

t-shirt
das T-Shirt

yoga | das Yoga

mat
die Matte

massage
die Massage

shiatsu
das Shiatsu

chiropractic
die Chiropraktik

osteopathy
die Osteopathie

reflexology
die Reflexzonenmassage

meditation
die Meditation

english • deutsch

counsellor
der Berater

group therapy
die Gruppentherapie

reiki
das Reiki

acupuncture
die Akupunktur

ayurveda
das Ayurveda

hypnotherapy
die Hypnotherapie

herbalism
die Kräuterheilkunde

essential oils
die ätherischen Öle

aromatherapy
die Aromatherapie

homeopathy
die Homöopathie

acupressure
die Akupressur

therapist
die Therapeutin

psychotherapy
die Psychotherapie

vocabulary • Vokabular			
crystal healing die Kristalltherapie	**naturopathy** die Naturheilkunde	**feng shui** das Feng-Shui	**stress** der Stress
hydrotherapy die Wasserbehandlung	**supplement** das Nahrungsergänzungsmittel	**relaxation** die Entspannung	**herb** das Heilkraut

home
das Haus

house • das Haus

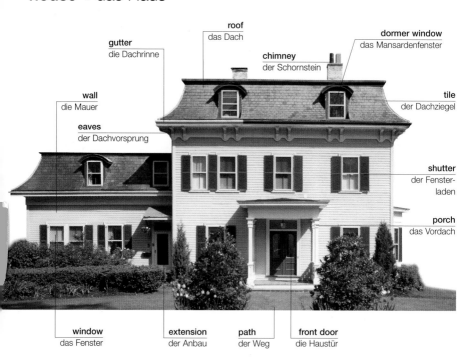

roof
das Dach

gutter
die Dachrinne

dormer window
das Mansardenfenster

chimney
der Schornstein

wall
die Mauer

tile
der Dachziegel

eaves
der Dachvorsprung

shutter
der Fenster-
laden

porch
das Vordach

window
das Fenster

extension
der Anbau

path
der Weg

front door
die Haustür

vocabulary • Vokabular

detached das Einzelhaus	**bungalow** der Bungalow	**room** das Zimmer	**burglar alarm** die Alarmanlage	**rent** die Miete
semidetached das Doppelhaus	**basement** das Kellergeschoss	**floor** das Stockwerk	**letterbox** der Briefkasten	**tenant** der Mieter
terraced das Reihenhaus	**garage** die Garage	**courtyard** der Hof	**landlord** der Vermieter	
townhouse das Stadthaus	**attic** der Dachboden	**porch light** die Haustürlampe	**rent (v)** mieten	

entrance • der Eingang

hand rail
der Handlauf

staircase
die Treppe

landing
der Treppen-
absatz

banister
das Treppen-
geländer

hallway
die Diele

doorbell
die Türklingel

doormat
der Fußabtreter

door knocker
der Türklopfer

door chain
die Türkette

key
der Schlüssel

lock
das Schloss

bolt
der Türriegel

flat
• die Wohnung

balcony
der Balkon

block of flats
der Wohnblock

intercom
die Sprechanlage

lift
der Fahrstuhl

internal systems • die Hausanschlüsse

blade
der Flügel

fan
der Ventilator

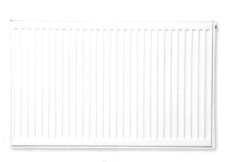

convector heater
der Heizlüfter

radiator
der Heizkörper

heater
der Heizofen

electricity • die Elektrizität

earthing
die Erdung

pin
der Pol

neutral
neutral

live
geladen

wires
die Leitung

energy-saving bulb
die Energiesparlampe

plug
der Stecker

vocabulary • Vokabular

voltage die Spannung	**fuse box** der Sicherungskasten	**alternating current** der Wechselstrom	**transformer** der Transformator
amp das Ampère	**generator** der Generator	**direct current** der Gleichstrom	**mains supply** das Stromnetz
power der Strom	**socket** die Steckdose	**electricity meter** der Stromzähler	
fuse die Sicherung	**switch** der Schalter	**power cut** der Stromausfall	

plumbing • die Sanitärtechnik

sink • die Spüle

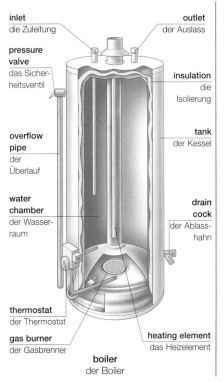

inlet
die Zuleitung

outlet
der Auslass

pressure valve
das Sicher-heitsventil

insulation
die Isolierung

overflow pipe
der Überlauf

tank
der Kessel

water chamber
der Wasser-raum

drain cock
der Ablass-hahn

thermostat
der Thermostat

gas burner
der Gasbrenner

heating element
das Heizelement

boiler
der Boiler

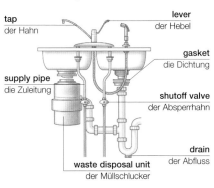

tap
der Hahn

lever
der Hebel

gasket
die Dichtung

supply pipe
die Zuleitung

shutoff valve
der Absperrhahn

drain
der Abfluss

waste disposal unit
der Müllschlucker

water closet • das WC

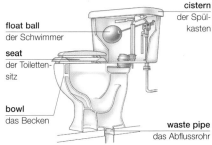

cistern
der Spül-kasten

float ball
der Schwimmer

seat
der Toiletten-sitz

bowl
das Becken

waste pipe
das Abflussrohr

waste disposal • die Abfallentsorgung

bottle
die Flasche

lid
der Deckel

pedal
der Trethebel

recycling bin
der Recycling-behälter

rubbish bin
der Abfalleimer

sorting unit
die Abfallsortiereinheit

organic waste
der Bio-Abfall

living room • das Wohnzimmer

wall light
die Wandlampe

fireplace
der Kamin

ceiling
die Decke

vase
die Vase

cushion
das
Sofakissen

lamp
die Lampe

coffee table
der
Couchtisch

sofa
das Sofa

floor
der Fußboden

english • deutsch

frame
der Bilderrahmen

painting
das Gemälde

curtain
der Vorhang

net curtain
die Gardine

venetian blind
die Jalousie

roller blind
das Rollo

moulding
der Stuck

armchair
der Sessel

bookshelf
das Bücherregal

sofabed
die Bettcouch

rug
der Teppich

study | das Arbeitszimmer

dining room • das Esszimmer

crockery
das Geschirr

table
der Tisch

pepper
der Pfeffer

salt
das Salz

chair
der Stuhl

back
die Lehne

seat
die Sitzfläche

leg
das Bein

cutlery
das Besteck

vocabulary • Vokabular

serve (v) servieren	**breakfast** das Frühstück	**meal** die Mahlzeit	**guest** der Gast	**Can I have some more, please?** Könnte ich bitte noch ein bisschen haben?
eat (v) essen	**lunch** das Mittagessen	**hungry** hungrig	**hostess** die Gastgeberin	
portion die Portion	**dinner** das Abendessen	**full** satt	**host** der Gastgeber	**I've had enough, thank you.** Ich bin satt, danke.
place mat das Set	**tablecloth** die Tischdecke	**lay the table (v)** den Tisch decken		**That was delicious.** Das war lecker.

crockery and cutlery • das Geschirr und das Besteck

mug
der Becher

coffee cup
die Kaffeetasse

teaspoon
der Teelöffel

teacup
die Teetasse

plate
der Teller

bowl
die Schüssel

cafetière
die Cafetière

teapot
die Teekanne

jug
der Krug

egg cup
der Eierbecher

wine glass
das Weinglas

tumbler
das Wasserglas

glassware
die Glaswaren

napkin ring
der Serviettenring

side plate
der Beilagenteller

dinner plate
der Essteller

soup bowl
der Suppenteller

soup spoon
der Suppenlöffel

napkin
die Serviette

fork
die Gabel

place setting
das Gedeck

spoon
der Löffel

knife
das Messer

kitchen • die Küche

extractor
der Dunstabzug

shelves
das Küchenregal

ceramic hob
das Glaskeramik-
kochfeld

splashback
der Spritzschutz

tap
der Wasserhahn

worktop
die
Arbeitsfläche

sink
das Spülbecken

oven
der Backofen

drawer
die Schublade

cabinet
der Küchen-
schrank

appliances • die Küchengeräte

microwave oven
die Mikrowelle

mixing bowl
die Mixerschüssel

lid
der Deckel

blade
das Messer

kettle
der Wasser-
kocher

toaster
der Toaster

food processor
die
Küchenmaschine

blender
der Mixer

dishwasher
die Spülmaschine

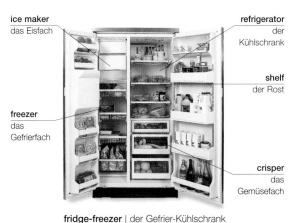

ice maker
das Eisfach

refrigerator
der Kühlschrank

shelf
der Rost

freezer
das Gefrierfach

crisper
das Gemüsefach

fridge-freezer | der Gefrier-Kühlschrank

vocabulary • Vokabular

hob
das Kochfeld

freeze (v)
einfrieren

draining board
das Abtropfbrett

defrost (v)
auftauen

burner
der Brenner

steam (v)
dämpfen

rubbish bin
der Mülleimer

sauté (v)
anbraten

cooking • das Kochen

peel (v)
schälen

slice (v)
schneiden

grate (v)
reiben

pour (v)
gießen

mix (v)
verrühren

whisk (v)
schlagen

boil (v)
kochen

fry (v)
braten

roll (v)
ausrollen

stir (v)
rühren

simmer (v)
köcheln lassen

poach (v)
pochieren

bake (v)
backen

roast (v)
braten

grill (v)
grillen

kitchenware • die Küchengeräte

bread knife
das Brotmesser

chopping board
das Schneidebrett

kitchen knife
das Küchenmesser

cleaver
das Hackmesser

knife sharpener
der Messer-
schärfer

meat tenderizer
der Fleischklopfer

skewer
der Spieß

pestle
der Stößel

peeler
der Schäler

apple corer
der Apfelstecher

grater
die Reibe

mortar
der Mörser

masher
der Kartoffelstampfer

can opener
der Dosenöffner

bottle opener
der Flaschenöffner

garlic press
die Knoblauchpresse

serving spoon
der Servierlöffel

fish slice
der Pfannenwender

colander
das Sieb

spatula
der Teigschaber

wooden spoon
der Holzlöffel

slotted spoon
der Schaumlöffel

ladle
der Schöpflöffel

carving fork
die Tranchiergabel

scoop
der Portionierer

whisk
der Schneebesen

sieve
das Sieb

lid
der Deckel

non-stick
antihaftbeschichtet

frying pan
die Bratpfanne

saucepan
der Kochtopf

grill pan
die Grillpfanne

wok
der Wok

earthenware dish
der Schmortopf

glass
aus Glas

ovenproof
feuerfest

mixing bowl
die Rührschüssel

soufflé dish
die Souffléform

gratin dish
die Auflaufform

ramekin
das
Auflaufförmchen

casserole dish
die Kasserolle

baking cakes • das Kuchenbacken

scales
die Haushalts-
waage

measuring jug
der Messbecher

cake tin
die Kuchenform

pie tin
die Biskuitform

flan tin
die Obstkuchen-
form

pastry brush
der Backpinsel

rolling pin
das Nudelholz

piping bag
der Spritzbeutel

muffin tray
die Muffinform

baking tray
das Kuchenblech

cooling rack
das Abkühlgitter

oven glove
der Topfhandschuh

apron
die Schürze

bedroom • das Schlafzimmer

wardrobe
der Kleiderschrank

bedside lamp
die Nachttischlampe

headboard
das Kopfende

bedside table
der Nachttisch

chest of drawers
die Kommode

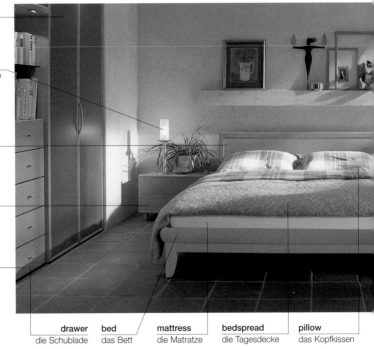

| **drawer** | **bed** | **mattress** | **bedspread** | **pillow** |
| die Schublade | das Bett | die Matratze | die Tagesdecke | das Kopfkissen |

hot-water bottle
die Wärmflasche

clock radio
der Radiowecker

alarm clock
der Wecker

box of tissues
die Papiertaschen-
tuchschachtel

coat hanger
der Kleiderbügel

bed linen • die Bettwäsche

pillowcase
der Kissenbezug

sheet
das Bettlaken

valance
der Volant

mirror
der Spiegel

dressing table
der Frisiertisch

duvet
die Bettdecke

quilt
die Steppdecke

floor
der Fußboden

blanket
die Decke

vocabulary • Vokabular

single bed das Einzelbett	**footboard** das Fußende	**insomnia** die Schlaflosigkeit	**wake up (v)** aufwachen	**set the alarm (v)** den Wecker stellen
double bed das Doppelbett	**spring** die Sprungfeder	**go to bed (v)** ins Bett gehen	**get up (v)** aufstehen	**snore (v)** schnarchen
electric blanket die Heizdecke	**carpet** der Teppich	**go to sleep (v)** einschlafen	**make the bed (v)** das Bett machen	**built-in wardrobe** der Einbauschrank

bathroom • das Badezimmer

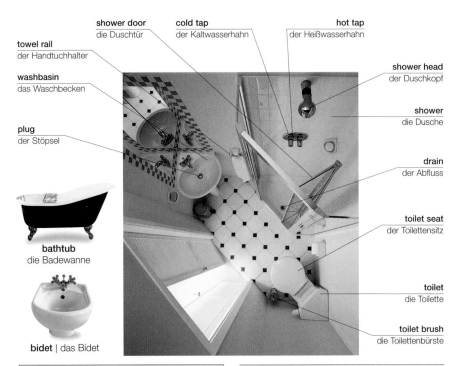

shower door
die Duschtür

cold tap
der Kaltwasserhahn

hot tap
der Heißwasserhahn

towel rail
der Handtuchhalter

washbasin
das Waschbecken

plug
der Stöpsel

shower head
der Duschkopf

shower
die Dusche

drain
der Abfluss

toilet seat
der Toilettensitz

toilet
die Toilette

toilet brush
die Toilettenbürste

bathtub
die Badewanne

bidet | das Bidet

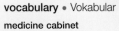

vocabulary • Vokabular

medicine cabinet die Hausapotheke	**bath mat** die Badematte
toilet roll die Rolle Toilettenpapier	**shower curtain** der Duschvorhang
take a shower (v) duschen	**take a bath (v)** baden

dental hygiene • die Zahnpflege

toothbrush
die Zahnbürste

dental floss
die Zahnseide

toothpaste
die Zahnpasta

mouthwash
das Mundwasser

sponge
der Schwamm

pumice stone
der Bimsstein

back brush
die Rückenbürste

deodorant
das Deo

soap dish
die Seifenschale

soap
die Seife

face cream
die Gesichtscreme

shower gel
das Duschgel

bubble bath
das Schaumbad

hand towel
das Handtuch

bath towel
das Badetuch

towels
die Handtücher

body lotion
die Körperlotion

talcum powder
der Körperpuder

bathrobe
der Bademantel

shaving • das Rasieren

electric razor
der Elektrorasierer

shaving foam
der Rasierschaum

disposable razor
der Einwegrasierer

razor blade
die Rasierklinge

aftershave
das Rasierwasser

nursery • das Kinderzimmer

baby care • die Säuglingspflege

nappy rash cream
die Wundsalbe

wet wipe
das Feuchttuch

sponge
der Schwamm

baby bath
die Babywanne

potty
das Töpfchen

changing mat
die Wickelmatte

sleeping • das Schlafen

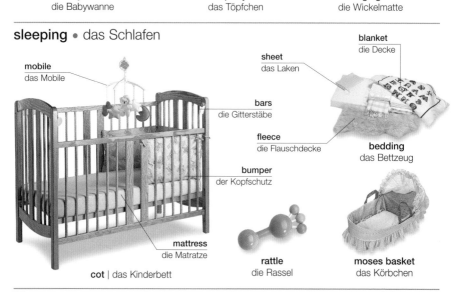

blanket
die Decke

sheet
das Laken

mobile
das Mobile

bars
die Gitterstäbe

fleece
die Flauschdecke

bedding
das Bettzeug

bumper
der Kopfschutz

mattress
die Matratze

cot | das Kinderbett

rattle
die Rassel

moses basket
das Körbchen

playing • das Spielen

doll
die Puppe

soft toy
das Kuscheltier

doll's house
das Puppenhaus

playhouse
das Spielhaus

teddy bear
der Teddy

toy
das Spielzeug

toy basket
der Spielzeugkorb

ball
der Ball

playpen
der Laufstall

safety
• die Sicherheit

child lock
die Kindersicherung

baby monitor
das Babyphon

stair gate
das Treppengitter

eating •
das Essen

high chair
der Kinderstuhl

teat
der Sauger

drinking cup
die Schnabel-
tasse

bottle
die Babyflasche

going out • das Ausgehen

pushchair
der Sportwagen

hood
das Verdeck

pram
der Kinderwagen

carrycot
das Tragebettchen

nappy
die Windel

changing bag
die Babytasche

baby sling
die Babytrage

utility room • der Haushaltsraum

laundry • die Wäsche

dirty washing
die schmutzige
Wäsche

clean clothes
die saubere Wäsche

laundry basket
der Wäschekorb

washing machine
die Waschmaschine

washer-dryer
der Waschtrockner

tumble dryer
der Trockner

linen basket
der Wäschekorb

clothes line
die Wäscheleine

iron
das Bügeleisen

clothes peg
die Wäsche-
klammer

dry (v)
trocknen

ironing board | das Bügelbrett

---

vocabulary • Vokabular

load (v) füllen	**spin (v)** schleudern	**iron (v)** bügeln	**How do I operate the washing machine?** Wie benutze ich die Waschmaschine?
rinse (v) spülen	**spin dryer** die Wäscheschleuder	**conditioner** der Weichspüler	**What is the setting for coloureds/whites?** Welches Programm nehme ich für farbige/weiße Wäsche?

cleaning equipment • die Reinigungsartikel

suction hose
der Saugschlauch

brush
der Handfeger

dust pan
das Kehrblech

bleach
das Reinigungsmittel

bucket
der Eimer

powder
das Wasch-
pulver

liquid
der Flüssig-
reiniger

duster
das Staubtuch

vacuum cleaner
der Staubsauger

mop
der Mopp

detergent
das Waschmittel

polish
die Politur

activities • die Tätigkeiten

clean (v)
putzen

wash (v)
spülen

wipe (v)
wischen

scrub (v)
schrubben

scrape (v)
kratzen

broom
der Besen

sweep (v)
fegen

dust (v)
Staub wischen

polish (v)
polieren

workshop • die Heimwerkstatt

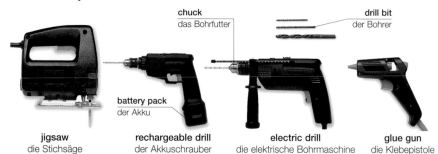

chuck
das Bohrfutter

drill bit
der Bohrer

battery pack
der Akku

jigsaw
die Stichsäge

rechargeable drill
der Akkuschrauber

electric drill
die elektrische Bohrmaschine

glue gun
die Klebepistole

clamp
die Zwinge

blade
das Säge-
blatt

vice
der Schraubstock

sander
die Schleifmaschine

circular saw
die Kreissäge

workbench
die Werkbank

wood glue
der Holzleim

tool rack
das Werkzeuggestell

router
die Oberfräse

bit brace
die Bohrwinde

wood shavings
die Holzspäne

extension lead
das Verlängerungskabel

techniques • die Techniken

cut (v)
schneiden

saw (v)
sägen

drill (v)
bohren

hammer (v)
hämmern

plane (v)
hobeln

turn (v)
drechseln

carve (v)
schnitzen

solder
der Lötzinn

solder (v)
löten

materials • die Materialien

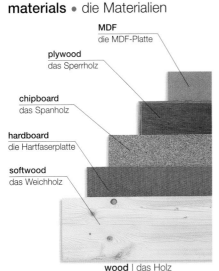

MDF
die MDF-Platte

plywood
das Sperrholz

chipboard
das Spanholz

hardboard
die Hartfaserplatte

softwood
das Weichholz

hardwood
das Hartholz

varnish
der Lack

woodstain
die Beize

wood | das Holz

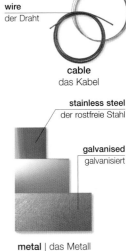

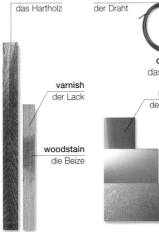

wire
der Draht

cable
das Kabel

stainless steel
der rostfreie Stahl

galvanised
galvanisiert

metal | das Metall

toolbox • der Werkzeugkasten

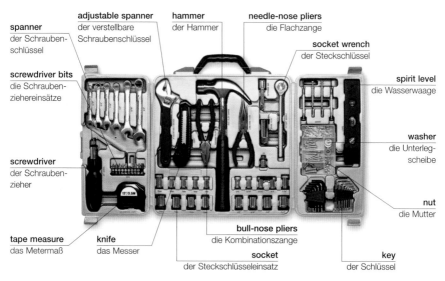

spanner
der Schrauben-
schlüssel

adjustable spanner
der verstellbare
Schraubenschlüssel

hammer
der Hammer

needle-nose pliers
die Flachzange

socket wrench
der Steckschlüssel

screwdriver bits
die Schrauben-
ziehereinsätze

spirit level
die Wasserwaage

screwdriver
der Schrauben-
zieher

washer
die Unterleg-
scheibe

nut
die Mutter

tape measure
das Metermaß

knife
das Messer

bull-nose pliers
die Kombinationszange

socket
der Steckschlüsseleinsatz

key
der Schlüssel

drill bits • die Bohrer

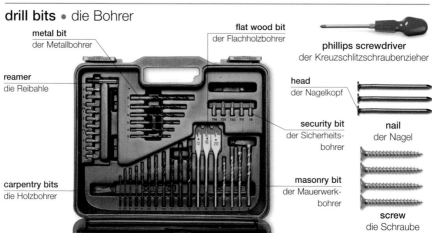

metal bit
der Metallbohrer

flat wood bit
der Flachholzbohrer

phillips screwdriver
der Kreuzschlitzschraubenzieher

reamer
die Reibahle

head
der Nagelkopf

security bit
der Sicherheits-
bohrer

nail
der Nagel

carpentry bits
die Holzbohrer

masonry bit
der Mauerwerk-
bohrer

screw
die Schraube

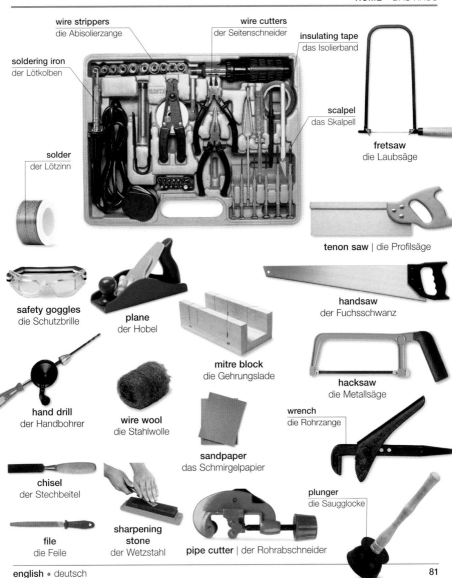

wire strippers
die Abisolierzange

wire cutters
der Seitenschneider

insulating tape
das Isolierband

soldering iron
der Lötkolben

solder
der Lötzinn

scalpel
das Skalpell

fretsaw | die Laubsäge

tenon saw | die Profilsäge

safety goggles
die Schutzbrille

plane
der Hobel

mitre block
die Gehrungslade

handsaw
der Fuchsschwanz

hacksaw
die Metallsäge

hand drill
der Handbohrer

wire wool
die Stahlwolle

sandpaper
das Schmirgelpapier

wrench
die Rohrzange

chisel
der Stechbeitel

sharpening
stone
der Wetzstahl

pipe cutter | der Rohrabschneider

plunger
die Saugglocke

file
die Feile

decorating • renovieren

scissors
die Tapezierschere

craft knife
das Tapeziermesser

plumb line
das Senkblei

scraper
der Spachtel

decorator
der Tapezierer

wallpaper
die Tapete

stepladder
die Trittleiter

wallpaper brush
die Tapezierbürste

pasting table
der
Tapeziertisch

pasting brush
die
Kleisterbürste

wallpaper paste
der
Tapetenkleister

bucket
der Eimer

wallpaper (v) | tapezieren

strip (v)
abziehen

fill (v)
spachteln

sand (v)
schmirgeln

plaster (v) | verputzen

hang (v) | anbringen

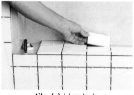

tile (v) | kacheln

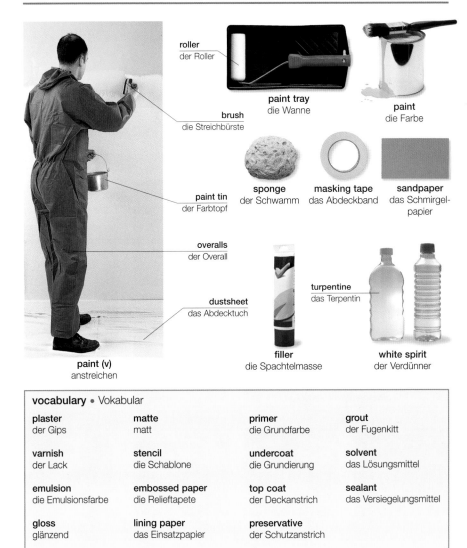

roller
der Roller

paint tray
die Wanne

paint
die Farbe

brush
die Streichbürste

sponge
der Schwamm

masking tape
das Abdeckband

sandpaper
das Schmirgel-
papier

paint tin
der Farbtopf

overalls
der Overall

turpentine
das Terpentin

dustsheet
das Abdecktuch

paint (v)
anstreichen

filler
die Spachtelmasse

white spirit
der Verdünner

vocabulary • Vokabular

plaster der Gips	**matte** matt	**primer** die Grundfarbe	**grout** der Fugenkitt
varnish der Lack	**stencil** die Schablone	**undercoat** die Grundierung	**solvent** das Lösungsmittel
emulsion die Emulsionsfarbe	**embossed paper** die Relieftapete	**top coat** der Deckanstrich	**sealant** das Versiegelungsmittel
gloss glänzend	**lining paper** das Einsatzpapier	**preservative** der Schutzanstrich	

garden • der Garten

garden styles • die Gartentypen

garden features • die Garten-ornamente

patio garden
der Patiogarten

roof garden
der Dachgarten

hanging basket
die Blumenampel

formal garden | der architektonische Garten

rock garden
der Steingarten

trellis
das Spalier

courtyard
der Hof

cottage garden
der Bauerngarten

herb garden
der Kräutergarten

water garden
der Wassergarten

pergola
die Pergola

soil
• der Boden

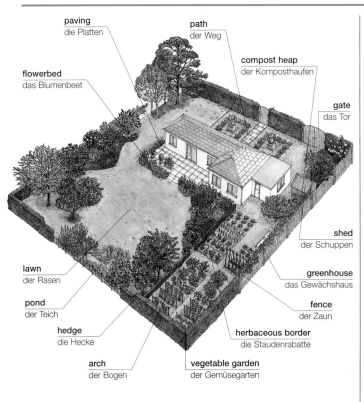

paving
die Platten

path
der Weg

compost heap
der Komposthaufen

flowerbed
das Blumenbeet

gate
das Tor

shed
der Schuppen

lawn
der Rasen

greenhouse
das Gewächshaus

pond
der Teich

fence
der Zaun

hedge
die Hecke

herbaceous border
die Staudenrabatte

arch
der Bogen

vegetable garden
der Gemüsegarten

topsoil
die Erde

sand
der Sand

chalk
der Kalk

silt
der Schluff

clay
der Lehm

terrace
die Terrasse

fountain | der Springbrunnen

garden plants • die Gartenpflanzen

types of plants • die Pflanzenarten

annual
einjährig

biennial
zweijährig

perennial
mehrjährig

bulb
die Zwiebel

fern
der Farn

rush
die Binse

bamboo
der Bambus

weeds
das Unkraut

herb
das Kraut

water plant
die Wasserpflanze

tree
der Baum

palm
die Palme

conifer
der Nadelbaum

evergreen
immergrün

deciduous
der Laubbaum

topiary
der Formschnitt

alpine
die Alpenpflanze

succulent
die Sukkulente

cactus
der Kaktus

potted plant
die Topfpflanze

shade plant
die Schattenpflanze

climber
die Kletterpflanze

flowering shrub
der Zierstrauch

ground cover
der Bodendecker

creeper
die Kriechpflanze

ornamental
dekorativ

grass
das Gras

garden tools • die Gartengeräte

lawn rake
der Laubrechen

compost
die Komposterde

seeds
die Samen

bone meal
die Knochenasche

spade
der Spaten

dung fork
die Mistgabel

long-handled shears
die Schere

rake
die Harke

hoe
die Hacke

gravel
der Kies

grass bag
der Grasfangsack

handle
der Griff

motor
der Motor

trug
der Gartenkorb

shield
der Schutz

stand
der Ständer

trimmer
der Rasentrimmer

lawnmower
der Rasenmäher

wheelbarrow
die Schubkarre

hand fork
die Handgabel

trowel
die Pflanzschaufel

secateurs
die Gartenschere

gardening gloves
die Gartenhandschuhe

twine
der Zwirn

labels
die Pflanzenschildchen

blade
die Klinge

seed tray
der Setzkasten

twist ties
die Befestigungen

ring ties
die Ringbefestigungen

canes
die Gartenstöcke

shears
die Heckenschere

pesticide
das Pestizid

sieve
das Sieb

plant pot
der Blumentopf

rubber boots
die Gummistiefel

hand saw
die Handsäge

water (v) • gießen

spray gun
die Spritzflasche

sprinkler
der Rasensprenger

nozzle
die Düse

watering can
die Gießkanne

hosepipe
der Gartenschlauch

rose
die Brause

hose reel | der Schlauchwagen

gardening • die Gartenarbeit

lawn
der Rasen

hedge
die Hecke

flowerbed
das
Blumenbeet

stake
die Stange

lawnmower
der
Rasenmäher

mow (v) | mähen

turf (v)
mit Rasen bedecken

spike (v)
stechen

rake (v)
harken

trim (v)
stutzen

dig (v)
graben

sow (v)
säen

top dress (v)
mit Kopfdünger
düngen

water (v)
gießen

cane
der Stock

train (v)
hochbinden

deadhead (v)
ausputzen

spray (v)
sprühen

graft (v)
pfropfen

cutting
der Ableger

propagate (v)
vermehren

prune (v)
beschneiden

stake (v)
stützen

transplant (v)
umpflanzen

weed (v)
jäten

mulch (v)
mulchen

harvest (v)
ernten

vocabulary • Vokabular

cultivate (v) züchten	**landscape (v)** gestalten	**fertilize (v)** düngen	**sieve (v)** sieben	**fertilizer** der Dünger	**organic** biodynamisch	**subsoil** der Untergrund
tend (v) hegen	**pot up (v)** eintopfen	**pick (v)** pflücken	**aerate (v)** auflockern	**seedling** der Sämling	**drainage** die Entwässerung	**weedkiller** der Unkraut- vernichter

services
die Dienstleistungen

emergency services • die Notdienste

ambulance • der Rettungsdienst

ambulance
der Krankenwagen

stretcher
die Tragbahre

paramedic
der Rettungssanitäter

police • die Polizei

badge
die Kenn-
marke

uniform
die Uniform

siren
die Sirene

lights
das Licht

nightstick
der Gummi-
knüppel

police car
das Polizeiauto

police station
die Polizeiwache

gun
die
Pistole

handcuffs
die
Handschellen

police officer
der Polizist

vocabulary • Vokabular			
crime das Verbrechen	**burglary** der Einbruch- diebstahl	**complaint** die Anzeige	**arrest** die Festnahme
detective der Kriminal- beamte	**assault** die Körperver- letzung	**investigation** die Ermittlung	**police cell** die Polizeizelle
inspector der Inspektor	**fingerprint** der Finger- abdruck	**suspect** der Verdächtige	**charge** die Anklage

fire department • die Feuerwehr

helmet
der Schutzhelm

smoke
der Rauch

hose
der Schlauch

basket
der Auslegerkorb

fire fighters
die Feuerwehrleute

water jet
der Wasserstrahl

boom
der Ausleger

ladder
die Leiter

cab
die Fahrerkabine

fire | der Brand

fire station
die Feuerwache

fire escape
die Feuertreppe

fire engine
das Löschfahrzeug

smoke alarm
der Rauchmelder

fire alarm
der Feuermelder

axe
das Beil

fire extinguisher
der Feuerlöscher

hydrant
der Hydrant

I need the police/fire department/ambulance.
Die Polizei/die Feuerwehr/einen Krankenwagen, bitte.

There's a fire at…
Es brennt in…

There's been an accident.
Es ist ein Unfall passiert.

Call the police!
Rufen Sie die Polizei!

bank • die Bank

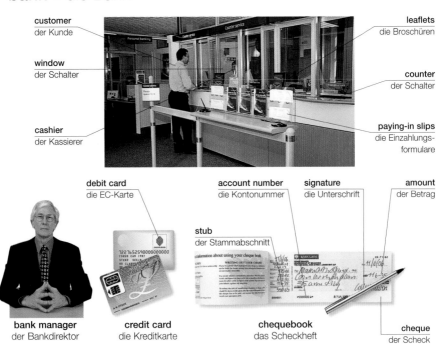

customer
der Kunde

window
der Schalter

cashier
der Kassierer

leaflets
die Broschüren

counter
der Schalter

paying-in slips
die Einzahlungs-
formulare

debit card
die EC-Karte

account number
die Kontonummer

signature
die Unterschrift

amount
der Betrag

stub
der Stammabschnitt

bank manager
der Bankdirektor

credit card
die Kreditkarte

chequebook
das Scheckheft

cheque
der Scheck

vocabulary • Vokabular

loan das Darlehen	interest rate der Zinssatz	withdrawal slip das Abhebungsformular	current account das Girokonto
tax die Steuer	overdraft die Kontoüberziehung	pay in (v) einzahlen	savings account das Sparkonto
savings die Spareinlagen	payment die Zahlung	bank transfer die Überweisung	pin number der PIN-Code
mortgage die Hypothek	direct debit der Einzugsauftrag	bank charge die Bankgebühr	

coin
die Münze

note
der Schein

money
das Geld

screen
der Bildschirm

key pad
das Tastenfeld

card slot
der Kartenschlitz

cash machine
der Geldautomat

foreign currency • die ausländische Währung

bureau de change
die Wechselstube

traveller's cheque
der Reisescheck

exchange rate
der Wechselkurs

finance • die Geldwirtschaft

share price
der Aktienpreis

stockbroker
der Börsenmakler

financial advisor
die Finanzberaterin

stock exchange | die Börse

vocabulary • Vokabular

cash (v) einlösen	**shares** die Aktien
denomination der Nennwert	**dividends** die Gewinnanteile
commission die Provision	**equity** das Eigenkapital
investment die Kapitalanlage	**portfolio** das Portefeuille
stocks die Wertpapiere	**accountant** der Buchhalter

Can I change this please?
Könnte ich das bitte wechseln?

What's today's exchange rate?
Wie ist der heutige Wechselkurs?

communications • die Kommunikation

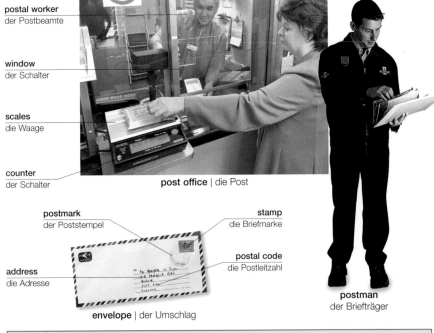

postal worker
der Postbeamte

window
der Schalter

scales
die Waage

counter
der Schalter

post office | die Post

postmark
der Poststempel

stamp
die Briefmarke

postal code
die Postleitzahl

address
die Adresse

postman
der Briefträger

envelope | der Umschlag

---

vocabulary • Vokabular

letter der Brief	**return address** der Absender	**delivery** die Zustellung	**fragile** zerbrechlich	**do not bend (v)** nicht falten
by airmail per Luftpost	**signature** die Unterschrift	**postage** die Portokosten	**mailbag** der Postsack	**this way up** oben
registered post das Einschreiben	**collection** die Leerung	**postal order** die Postanweisung	**telegram** das Telegramm	**fax** das Fax

---

postbox
der Briefkasten

letterbox
der Hausbriefkasten

parcel
das Paket

courier
der Kurierdienst

telephone • das Telefon

handset
der Hörer

base station
die Basisstation

cordless phone
das schnurlose Telefon

answering machine
der Anrufbeantworter

video phone
das Bildtelefon

telephone box
die Telefonzelle

keypad
das Tastenfeld

smartphone
das Smartphone

mobile phone
das Handy

receiver
der Hörer

coin return
die Münzrückgabe

payphone
der Münzfernsprecher

---

vocabulary • Vokabular

directory enquiries die Auskunft	**text** die SMS	**disconnected** unterbrochen	**Can you give me the number for...?** Können Sie mir die Nummer für…geben?
reverse charge call das R-Gespräch	**voice message** die Sprachmitteilung	**app** die App	
dial (v) wählen	**operator** die Vermittlung	**passcode** das Passwort	**What is the dialling code for...?** Was ist die Vorwahl für…?
answer (v) abheben	**engaged/busy** besetzt		**Text me!** Schick mir eine SMS!

---

hotel • das Hotel
lobby • die Empfangshalle

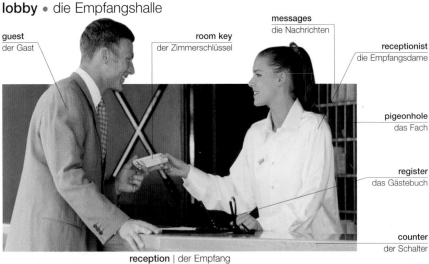

messages
die Nachrichten

guest
der Gast

room key
der Zimmerschlüssel

receptionist
die Empfangsdame

pigeonhole
das Fach

register
das Gästebuch

counter
der Schalter

reception | der Empfang

luggage
das Gepäck

trolley
der Kofferkuli

porter
der Page

lift
der Fahrstuhl

room number
die Zimmernummer

rooms • die Zimmer

single room
das Einzelzimmer

double room
das Doppelzimmer

twin room
das Zweibettzimmer

private bathroom
das Privatbadezimmer

services • die Dienstleistungen

breakfast tray
das Frühstückstablett

maid service
die Zimmerreinigung

laundry service
der Wäschedienst

room service | der Zimmerservice

mini bar
die Minibar

restaurant
das Restaurant

gym
der Fitnessraum

swimming pool
das Schwimmbad

---

vocabulary • Vokabular

full board die Vollpension	**Do you have any vacancies?** Haben Sie ein Zimmer frei?	**I'd like a room for three nights.** Ich möchte ein Zimmer für drei Nächte.
half board die Halbpension	**I have a reservation.** Ich habe ein Zimmer reserviert.	**What is the charge per night?** Was kostet das Zimmer pro Nacht?
bed and breakfast die Übernachtung mit Frühstück	**I'd like a single room.** Ich möchte ein Einzelzimmer.	**When do I have to vacate the room?** Wann muss ich das Zimmer räumen?

shopping
der Einkauf

shopping centre • das Einkaufszentrum

atrium
das Atrium

sign
das Schild

lift
der Fahrstuhl

second floor
die zweite Etage

first floor
die erste Etage

escalator
die Rolltreppe

ground floor
das Erdgeschoss

customer
der Kunde

---

vocabulary • Vokabular

children's department die Kinderabteilung	**customer services** der Kundendienst	**changing rooms** die Anprobe	**How much is this?** Was kostet das?
luggage department die Gepäckabteilung	**store directory** die Anzeigetafel	**baby changing facilities** der Wickelraum	**May I exchange this?** Kann ich das umtauschen?
shoe department die Schuhabteilung	**sales assistant** der Verkäufer	**toilets** die Toiletten	

---

department store • das Kaufhaus

men's wear
die Herrenbekleidung

women's wear
die Damenober-
bekleidung

lingerie
die Damenwäsche

perfumery
die Parfümerie

beauty
die Schönheitspflege

linen
die Haushalts-
wäsche

home furnishings
die Möbel

haberdashery
die Kurzwaren

kitchenware
die Küchengeräte

china
das Porzellan

electrical goods
die Elektroartikel

lighting
die Lampen

sports
die Sportartikel

toys
die Spielwaren

stationery
die Schreibwaren

food hall
die Lebensmittelabteilung

supermarket • der Supermarkt

aisle
der Gang

shelf
das Warenregal

conveyer belt
das Laufband

cashier
der Kassierer

offers
die Angebote

checkout | die Kasse

customer
der Kunde

till
die Kasse

shopping bag
die Einkaufstasche

groceries
die Lebensmittel

handle
der Henkel

780863 185779

bar code
der Strichcode

trolley
der Einkaufswagen

basket
der Einkaufskorb

scanner
der Scanner

english • deutsch

bakery
die Backwaren

dairy
die Milchprodukte

cereals
die Getreideflocken

tinned food
die Konserven

confectionery
die Süßwaren

vegetables
das Gemüse

fruit
das Obst

meat and poultry
das Fleisch und
das Geflügel

fish
der Fisch

deli
die Feinkost

frozen food
die Tiefkühlkost

convenience food
die Fertiggerichte

drinks
die Getränke

household products
die Haushaltswaren

toiletries
die Toilettenartikel

baby products
die Babyprodukte

electrical goods
die Elektroartikel

pet food
das Tierfutter

magazines | die Zeitschriften

chemist • die Apotheke

dental care
die Zahnpflege

feminine hygiene
die Monats-hygiene

deodorants
die Deos

vitamins
die Vitamintabletten

dispensary
die Arzneiausgabe

pharmacist
der Apotheker

cough medicine
das Hustenmedikament

herbal remedies
die Kräuterheilmittel

skin care
die Hautpflege

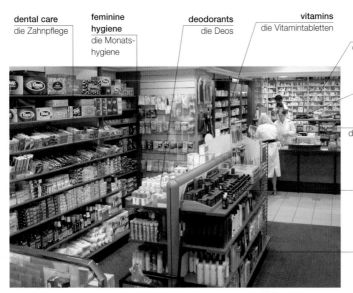

aftersun
die After-Sun-Lotion

sunscreen
die Sonnenschutzcreme

sunblock
der Sonnenblocker

insect repellent
das Insektenschutzmittel

wet wipe
das Reinigungstuch

tissue
das Papiertaschentuch

sanitary towel
die Damenbinde

tampon
der Tampon

panty liner
die Slipeinlage

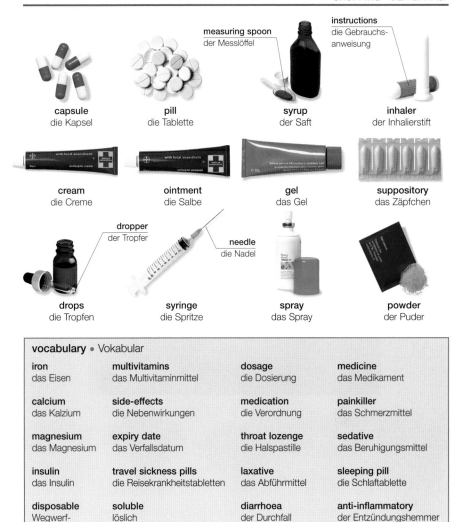

measuring spoon
der Messlöffel

instructions
die Gebrauchs-
anweisung

capsule
die Kapsel

pill
die Tablette

syrup
der Saft

inhaler
der Inhalierstift

cream
die Creme

ointment
die Salbe

gel
das Gel

suppository
das Zäpfchen

dropper
der Tropfer

needle
die Nadel

drops
die Tropfen

syringe
die Spritze

spray
das Spray

powder
der Puder

vocabulary • Vokabular

iron das Eisen	**multivitamins** das Multivitaminmittel	**dosage** die Dosierung	**medicine** das Medikament
calcium das Kalzium	**side-effects** die Nebenwirkungen	**medication** die Verordnung	**painkiller** das Schmerzmittel
magnesium das Magnesium	**expiry date** das Verfallsdatum	**throat lozenge** die Halspastille	**sedative** das Beruhigungsmittel
insulin das Insulin	**travel sickness pills** die Reisekrankheitstabletten	**laxative** das Abführmittel	**sleeping pill** die Schlaftablette
disposable Wegwerf-	**soluble** löslich	**diarrhoea** der Durchfall	**anti-inflammatory** der Entzündungshemmer

florist • das Blumengeschäft

flowers
die Blumen

gladiolus
die Gladiole

lily
die Lilie

iris
die Iris

acacia
die Akazie

daisy
die Margerite

chrysanthemum
die
Chrysantheme

carnation
die Nelke

gypsophila
das
Schleierkraut

pot plant
die Topfpflanze

stocks
die Levkoje

gerbera
die Gerbera

foliage
die Blätter

rose
die Rose

freesia
die Freesie

vase
die Blumenvase

orchid
die Orchidee

peony
die Pfingstrose

bunch
der Strauß

stem
der Stängel

daffodil
die Osterglocke

bud
die Knospe

wrapping
das Einwickel-papier

tulip | die Tulpe

arrangements • die Blumenarrangements

ribbon
das Band

bouquet
der Blumenstrauß

dried flowers
die Trockenblumen

pot-pourri | das Potpourri

wreath | der Kranz

garland
die Blumengirlande

Can I have a bunch of… please.
Ich möchte einen Strauß…, bitte.

Can I have them wrapped?
Können Sie die Blumen bitte einwickeln?

Can I attach a message?
Kann ich eine Nachricht mitschicken?

How long will these last?
Wie lange halten sie?

Are they fragrant?
Duften sie?

Can you send them to….?
Können Sie die Blumen an… schicken?

newsagent • der Zeitungshändler

cigarettes
die Zigaretten

packet of cigarettes
das Päckchen Zigaretten

stamps
die Briefmarken

postcard
die Postkarte

comic
das Comicheft

magazine
die Zeitschrift

newspaper
die Zeitung

smoking • das Rauchen

stem
das Mundstück

bowl
der Kopf

tobacco
der Tabak

lighter
das Feuerzeug

pipe
die Pfeife

cigar
die Zigarre

confectioner • der Süßwarenhändler

box of chocolates
die Schachtel Pralinen

snack bar
die Nascherei

crisps
die Chips

sweet shop | das Süßwarengeschäft

confectionery • die Süßwaren

chocolate
die Praline

chocolate bar
die Tafel Schokolade

sweets
die Bonbons

lollipop
der Lutscher

toffee
das Toffee

nougat
der Nugat

marshmallow
das Marshmallow

mint
das Pfefferminz

chewing gum
der Kaugummi

jellybean
der Geleebonbon

fruit gum
der Fruchtgummi

licquorice
die Lakritze

other shops • andere Geschäfte

baker's
die Bäckerei

cake shop
die Konditorei

butcher's
die Metzgerei

fishmonger's
das Fischgeschäft

greengrocer's
der Gemüseladen

grocer's
das Lebensmittel-
geschäft

shoe shop
das Schuhgeschäft

hardware shop
die Eisenwaren-
handlung

antiques shop
der Antiquitätenladen

gift shop
der Geschenkartikel-
laden

travel agent's
das Reisebüro

jeweller's
das Juweliergeschäft

book shop
der Buchladen

record shop
das Musikgeschäft

off licence
die Weinhandlung

pet shop
die Tierhandlung

furniture shop
das Möbelgeschäft

boutique
die Boutique

vocabulary • Vokabular

launderette
der Waschsalon

camera shop
das Fotogeschäft

garden centre
das Gartencenter

health food shop
das Reformhaus

dry cleaner's
die Reinigung

art shop
die Kunsthandlung

estate agent's
der Immobilienmakler

second-hand shop
der Gebrauchtwarenhändler

tailor's
die Schneiderei

hairdresser's
der Frisiersalon

market | der Markt

food
die Nahrungsmittel

meat • das Fleisch

lamb
das Lamm

butcher
der Metzger

meat hook
der Fleischerhaken

scales
die Waage

knife sharpener
der Messerschärfer

bacon
der Speck

sausages
die Würstchen

liver
die Leber

vocabulary • Vokabular

pork das Schweinefleisch	**venison** das Wild	**offal** die Innereien	**free range** aus Freilandhaltung	**red meat** das rote Fleisch
beef das Rindfleisch	**rabbit** das Kaninchen	**cured** gepökelt	**organic** biologisch kontrolliert	**lean meat** das magere Fleisch
veal das Kalbfleisch	**tongue** die Zunge	**smoked** geräuchert	**white meat** das weiße Fleisch	**cooked meat** der Aufschnitt

cuts • die Fleischsorten

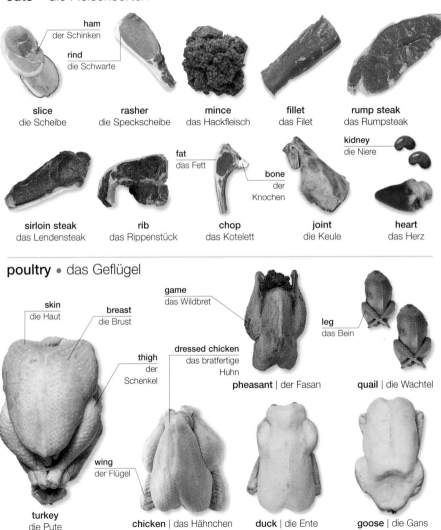

ham
der Schinken

rind
die Schwarte

slice
die Scheibe

rasher
die Speckscheibe

mince
das Hackfleisch

fillet
das Filet

rump steak
das Rumpsteak

fat
das Fett

bone
der
Knochen

kidney
die Niere

sirloin steak
das Lendensteak

rib
das Rippenstück

chop
das Kotelett

joint
die Keule

heart
das Herz

poultry • das Geflügel

skin
die Haut

breast
die Brust

game
das Wildbret

leg
das Bein

thigh
der
Schenkel

dressed chicken
das bratfertige
Huhn

pheasant | der Fasan

quail | die Wachtel

wing
der Flügel

turkey
die Pute

chicken | das Hähnchen

duck | die Ente

goose | die Gans

fish • der Fisch

peeled prawns
die geschälten
Garnelen

red mullet
die rote
Meerbarbe

halibut fillets
die Heilbuttfilets

rainbow trout
die Regenbogenforelle

skate wings
die
Rochenflügel

ice
das Eis

fishmonger's
das Fischgeschäft

monkfish
der Seeteufel

mackerel
die Makrele

trout
die Forelle

swordfish
der Schwertfisch

Dover sole
die Seezunge

lemon sole
die Rotzunge

haddock
der Schellfisch

sardine
die Sardine

skate
der Rochen

whiting
der Merlan

sea bass
der Seebarsch

salmon | der Lachs

cod
der Kabeljau

sea bream
die Goldbrasse

tuna
der Tunfisch

seafood • die Meeresfrüchte

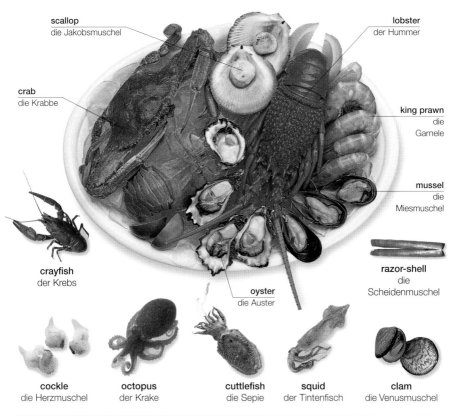

scallop
die Jakobsmuschel

lobster
der Hummer

crab
die Krabbe

king prawn
die
Garnele

mussel
die
Miesmuschel

crayfish
der Krebs

razor-shell
die
Scheidenmuschel

oyster
die Auster

cockle
die Herzmuschel

octopus
der Krake

cuttlefish
die Sepie

squid
der Tintenfisch

clam
die Venusmuschel

vocabulary • Vokabular

frozen	cleaned	smoked	descaled	filleted	salted	skinned	boned	fillet
tiefgefroren	gesäubert	geräuchert	entschuppt	filetiert	gesalzen	enthäutet	entgrätet	das Filet

fresh	steak	tail	bone	scale	loin	Will you clean it for me?
frisch	die Scheibe	der Schwanz	die Gräte	die Schuppe	das Loin	Können Sie ihn mir säubern?

vegetables 1 • das Gemüse 1

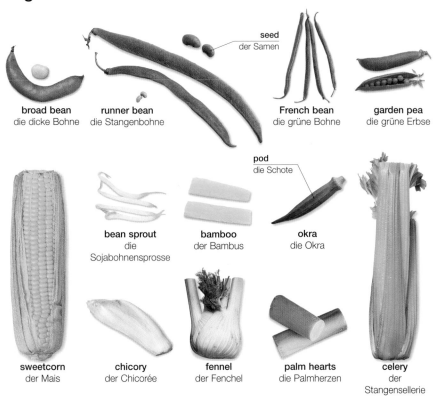

seed
der Samen

broad bean
die dicke Bohne

runner bean
die Stangenbohne

French bean
die grüne Bohne

garden pea
die grüne Erbse

pod
die Schote

bean sprout
die Sojabohnensprosse

bamboo
der Bambus

okra
die Okra

sweetcorn
der Mais

chicory
der Chicorée

fennel
der Fenchel

palm hearts
die Palmherzen

celery
der Stangensellerie

---

vocabulary • Vokabular

leaf das Blatt	**floret** das Röschen	**tip** die Spitze	**organic** biologisch	**Do you sell organic vegetables?** Verkaufen Sie Biogemüse?
stalk der Strunk	**kernel** der Kern	**heart** das Herz	**plastic bag** die Plastiktüte	**Are these grown locally?** Werden sie in dieser Gegend angebaut?

---

english • deutsch

rocket
der Rucola

watercress
die Brunnenkresse

radicchio
der Radicchio

brussel sprout
der Rosenkohl

swiss chard
der Mangold

kale
der Grünkohl

sorrel
der Gartensauerampfer

endive
die Endivie

dandelion
der Löwenzahn

spinach
der Spinat

kohlrabi
der Kohlrabi

pak-choi
der Pak-Choi

lettuce
der Salat

broccoli
der Brokkoli

cabbage
der Kohl

spring greens
der Frühkohl

vegetables 2 • das Gemüse 2

artichoke
die Artischocke

cauliflower
der Blumenkohl

potato
die Kartoffel

radish
das Radieschen

turnip
die Rübe

asparagus
der Spargel

marrow
der Gartenkürbis

onion
die Zwiebel

pepper
die Paprika

chilli
die Peperoni

sweet corn
der Mais

---

vocabulary • Vokabular

cherry tomato
die Kirschtomate

taro root
die Tarowurzel

hot (spicy)
scharf

root
die Wurzel

carrot
die Karotte

water chestnut
die Wasserkastanie

sweet
süß

Can I have one kilo of potatoes please?
Könnte ich bitte ein Kilo Kartoffeln haben?

breadfruit
die Brotfrucht

cassava
der Maniok

bitter
bitter

new potato
die neue Kartoffel

frozen
tiefgefroren

firm
fest

What's the price per kilo?
Was kostet ein Kilo?

celeriac
der Sellerie

raw
roh

flesh
das Fleisch

What are those called?
Wie heißen diese?

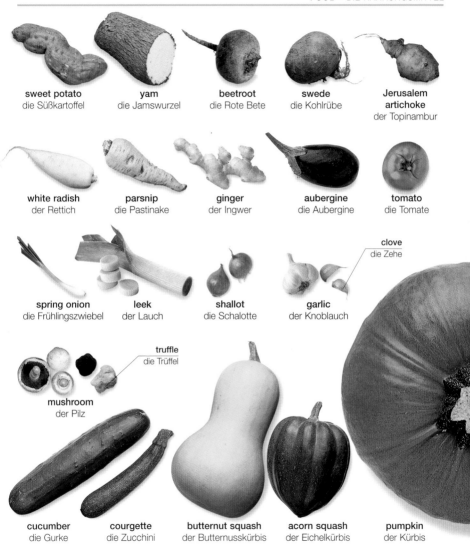

sweet potato
die Süßkartoffel

yam
die Jamswurzel

beetroot
die Rote Bete

swede
die Kohlrübe

Jerusalem artichoke
der Topinambur

white radish
der Rettich

parsnip
die Pastinake

ginger
der Ingwer

aubergine
die Aubergine

tomato
die Tomate

spring onion
die Frühlingszwiebel

leek
der Lauch

shallot
die Schalotte

garlic
der Knoblauch

clove
die Zehe

truffle
die Trüffel

mushroom
der Pilz

cucumber
die Gurke

courgette
die Zucchini

butternut squash
der Butternusskürbis

acorn squash
der Eichelkürbis

pumpkin
der Kürbis

fruit 1 • das Obst 1

citrus fruit • die Zitrusfrüchte

orange
die Orange

clementine
die Klementine

pith
die weiße
Haut

ugli fruit
die Tangelo

grapefruit
die Grapefruit

segment
der Schnitz

satsuma
die Satsuma

tangerine
die Mandarine

zest
die Schale

lime
die Limone

lemon
die Zitrone

kumquat
die Kumquat

stoned fruit • das Steinobst

peach
der Pfirsich

nectarine
die Nektarine

apricot
die Aprikose

plum
die Pflaume

cherry
die Kirsche

apple
der Apfel

pear
die Birne

basket of fruit | der Obstkorb

berries and melons • das Beerenobst und die Melonen

strawberry
die Erdbeere

raspberry
die Himbeere

melon
die Melone

grapes
die Weintrauben

blackberry
die Brombeere

redcurrant
die Johannisbeere

cranberry
die Preiselbeere

blackcurrant
die schwarze
Johannisbeere

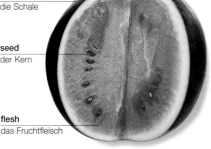

rind
die Schale

seed
der Kern

flesh
das Fruchtfleisch

watermelon
die Wassermelone

blueberry
die Heidelbeere

white currant
die weiße Johannisbeere

loganberry
die Loganbeere

gooseberry
die Stachelbeere

vocabulary • Vokabular

pulp das Fruchtmark	**sweet** süß	**crisp** knackig	**Are they ripe?** Sind sie reif?
fibre die Faser	**sour** sauer	**rotten** faul	**Can I try one?** Könnte ich eine probieren?
rhubarb der Rhabarber	**fresh** frisch	**seedless** kernlos	**How long will they keep?** Wie lange halten sie sich?
core das Kerngehäuse	**juicy** saftig	**juice** der Saft	

fruit 2 • das Obst 2

mango
die Mango

pineapple
die Ananas

avocado
die Avocado

papaya
die Papaya

peach
der Pfirsich

lychee
die Litschi

kiwifruit
die Kiwi

cape gooseberry
die Kapstachelbeere

pip
der Kern

skin
die Schale

quince	passion fruit	banana	guava	pomegranate
die Quitte	die Passionsfrucht	die Banane	die Guave	der Granatapfel

persimmon	feijoa	prickly pear	starfruit	tamarillo
die Kaki	die Feijoa	die Kaktusfeige	die Sternfrucht	die Tamarillo

nuts and dried fruit • die Nüsse und das Dörrobst

pine nut
die Piniennuss

pistachio
die Pistazie

cashewnut
die Cashewnuss

peanut
die Erdnuss

hazelnut
die Haselnuss

brazilnut
die Paranuss

pecan
die Pecannuss

almond
die Mandel

walnut
die Walnuss

chestnut
die Esskastanie

macadamia
die Macadamianuss

fig
die Feige

date
die Dattel

prune
die Backpflaume

shell
die Schale

sultana
die Sultanine

raisin
die Rosine

currant
die Korinthe

flesh
das
Fruchtfleisch

coconut
die Kokosnuss

vocabulary • Vokabular

green	**hard**	**kernel**	**salted**	**roasted**	**tropical fruit**	**shelled**
grün	hart	der Kern	gesalzen	geröstet	die Südfrüchte	geschält
ripe	**soft**	**desiccated**	**raw**	**seasonal**	**candied fruit**	**whole**
reif	weich	getrocknet	roh	saisonal	die kandierten Früchte	ganz

grains and pulses • die Getreidearten und die Hülsenfrüchte

grains • das Getreide

wheat	**oats**	**barley**
der Weizen	der Hafer	die Gerste
millet	**corn**	**quinoa**
die Hirse	der Mais	die Reismelde

vocabulary • Vokabular

dry	**fresh**	**short-grain**
trocken	frisch	Rundkorn
husk	**fragranced**	**wholegrain**
die Hülse	aromatisch	Vollkorn
kernel	**soak (v)**	**long-grain**
der Kern	einweichen	Langkorn
seed	**cereal**	**easy cook**
der Samen	die Getreideflocken	leicht zu kochen

rice • der Reis

white rice
der weiße Reis

brown rice
der Naturreis

wild rice
der Wildreis

pudding rice
der Milchreis

processed grains • die verarbeiteten Getreidearten

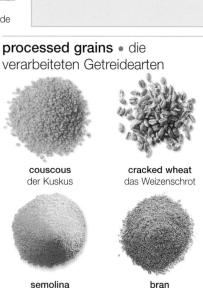

couscous
der Kuskus

cracked wheat
das Weizenschrot

semolina
der Grieß

bran
die Kleie

beans and peas • die Bohnen und die Erbsen

butter beans
die Mondbohnen

haricot beans
die weißen
Bohnen

**red kidney
beans**
die roten Bohnen

aduki beans
die Adzukibohnen

broad beans
die Saubohnen

soya beans
die Sojabohnen

black-eyed beans
die Augenbohnen

pinto beans
die Pintobohnen

mung beans
die Mungbohnen

flageolet beans
die französischen
Bohnen

brown lentils
die braunen
Linsen

red lentils
die roten Linsen

green peas
die grünen
Erbsen

chick peas
die Kichererbsen

split peas
die getrockneten
Erbsen

seeds • die Körner

pumpkin seed
der Kürbiskern

mustard seed
das Senfkorn

caraway
der Kümmel

sesame seed
das Sesamkorn

sunflower seed
der Sonnenblumenkern

herbs and spices • die Kräuter und Gewürze

spices • die Gewürze

vanilla
die Vanille

nutmeg
die Muskatnuss

mace
die Muskatblüte

turmeric
die Gelbwurz

cumin
der Kreuzkümmel

bouquet garni
die
Kräutermischung

allspice
der Piment

peppercorn
das Pfefferkorn

fenugreek
der
Bockshornklee

chilli
der Chili

saffron
der Safran

cardamom
der Kardamom

curry powder
das Currypulver

whole
ganz

crushed
zerstoßen

ground
gemahlen

paprika
der Paprika

flakes
geraspelt

garlic
der Knoblauch

herbs • die Kräuter

sticks
die Stangen

cinnamon
der Zimt

fennel
der Fenchel

fennel seeds
die Fenchelsamen

bay leaf
das Lorbeerblatt

parsley
die Petersilie

lemon grass
das Zitronengras

chives
der Schnittlauch

mint
die Minze

thyme
der Thymian

sage
der Salbei

cloves
die Gewürznelke

star anise
der Sternanis

tarragon
der Estragon

marjoram
der Majoran

basil
das Basilikum

ginger
der Ingwer

oregano
der Oregano

coriander
der Koriander

dill
der Dill

rosemary
der Rosmarin

bottled foods • die Nahrungsmittel in Flaschen und Gläsern

cork
der Korken

sunflower oil
das Sonnen-
blumenöl

walnut oil
das Walnussöl

grapeseed oil
das Traubenkernöl

almond oil
das Mandelöl

sesame
seed oil
das Sesamöl

hazelnut oil
das Haselnussöl

olive oil
das Olivenöl

herbs
die Kräuter

flavoured oil
das aromatisierte Öl

oils
die Öle

sweet spreads • der süße Aufstrich

jar
das Glas

honeycomb
der Wabenhonig

set honey
der feste Honig

lemon curd
der Zitronen-
aufstrich

raspberry jam
die Himbeerkonfitüre

marmalade
die Orangen-
marmelade

clear honey
der flüssige Honig

maple syrup
der Ahornsirup

condiments and spreads • die Würzmittel

bottle
die Flasche

balsamic vinegar
der Gewürzessig

cider vinegar
der Apfelweinessig

English mustard
der englische Senf

mayonnaise
die Majonäse

ketchup
der Ketchup

French mustard
der französische
Senf

chutney
das Chutney

malt vinegar
der Malzessig

wine vinegar
der Weinessig

sauce
die Soße

**wholegrain
mustard**
der grobe Senf

vinegar
der Essig

sealed jar
das Einmachglas

peanut butter
die Erdnussbutter

chocolate spread
der Schokoladen-
aufstrich

preserved fruit
das eingemachte
Obst

vocabulary • Vokabular

vegetable oil
das Pflanzenöl

rapeseed oil
das Rapsöl

corn oil
das Maiskeimöl

groundnut oil
das Erdnussöl

cold-pressed oil
das kaltgepresste Öl

dairy produce • die Milchprodukte

cheese • der Käse

rind
die Rinde

semi-hard cheese
der mittelharte Käse

grated cheese
der geriebene Käse

hard cheese
der Hartkäse

cottage cheese
der Hüttenkäse

semi-soft cheese
der halbfeste Käse

cream cheese
der Rahmkäse

blue cheese
der Blau-
schimmelkäse

soft cheese
der Weichkäse

fresh cheese | der Frischkäse

milk • die Milch

whole milk
die Vollmilch

semi-skimmed milk
die Halbfettmilch

skimmed milk
die Magermilch

milk carton
die Milchtüte

goat's milk
die Ziegenmilch

condensed milk
die Kondensmilch

cow's milk | die Kuhmilch

butter
die Butter

margarine
die Margarine

cream
die Sahne

single cream
die fettarme Sahne

double cream
die süße Sahne

whipped cream
die Schlagsahne

sour cream
die saure Sahne

yoghurt
der Joghurt

ice-cream
das Eis

eggs • die Eier

yolk
das Eigelb

egg white
das Eiweiß

shell
die Eierschale

egg cup
der Eier-
becher

boiled egg
das gekochte Ei

hen's egg
das Hühnerei

duck egg
das Entenei

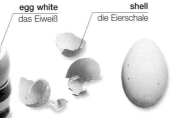
goose egg
das Gänseei

quail egg
das Wachtelei

---

vocabulary • Vokabular

pasteurized	**fat free**	**salted**	**sheep's milk**	**lactose**	**milkshake**
pasteurisiert	fettfrei	gesalzen	die Schafmilch	die Laktose	der Milchshake
unpasteurized	**powdered milk**	**unsalted**	**buttermilk**	**homogenised**	**frozen yoghurt**
unpasteurisiert	das Milchpulver	ungesalzen	die Buttermilch	homogenisiert	der gefrorene Joghurt

---

breads and flours • das Brot und das Mehl

sliced bread
das
Scheibenbrot

white bread
das Weißbrot

rye bread
das Roggenbrot

baguette
das Baguette

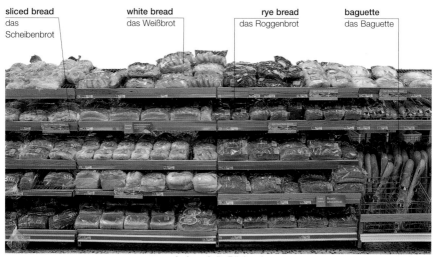

bakery | die Bäckerei

making bread • Brot backen

white flour
das Weizenmehl

brown flour
das Roggenmehl

wholemeal flour
das Vollkornmehl

yeast
die Hefe

sift (v) | sieben

dough
der Teig

mix (v) | verrühren

knead (v) | kneten

bake (v) | backen

crust
die Kruste

loaf
der Laib

slice
die Scheibe

white bread
das Weißbrot

brown bread
das Graubrot

wholemeal bread
das Vollkornbrot

granary bread
das Mehrkornbrot

corn bread
das Maisbrot

soda bread
das Sodabrot

sourdough bread
das Sauerteigbrot

flatbread
das Fladenbrot

bagel
der Bagel

bap
das weiche Brötchen

roll
das Brötchen

fruit bread
das Rosinenbrot

seeded bread
das Körnerbrot

naan bread
das Naanbrot

pitta bread
das Pitabrot

crispbread
das Knäckebrot

---

vocabulary • Vokabular

self-raising flour das Mehl mit Backpulver	**rise (v)** aufgehen	**prove (v)** gehen lassen	**breadcrumbs** das Paniermehl	**slicer** der Brotschneider
strong flour das angereicherte Mehl	**plain flour** das Mehl ohne Backpulver	**glaze (v)** glasieren	**flute** das Stangen-weißbrot	**baker** der Bäcker

---

cakes and desserts • die Kuchen und die Nachspeisen

éclair
das Eclair

choux pastry
der Brandteig

cream
die Sahne

puff pastry
der Blätterteig

filo pastry
der Filoteig

filling
die Füllung

fruit cake
der englische Kuchen

chocolate coated
mit Schokolade überzogen

fruit tart
das Obsttortelett

muffin
der Muffin

sponge cake
das Biskuittörtchen

meringue
das Baiser

cakes | das Gebäck

vocabulary • Vokabular

crème pâtissière die Konditorcreme	**bun** das Teilchen	**pastry** der Teig	**rice pudding** der Milchreis	**May I have a slice please?** Könnte ich bitte ein Stück haben?
chocolate cake die Schokoladentorte	**custard** der Vanillepudding	**slice** das Stück	**celebration** die Feier	

chocolate chip
das Schokoladen-
stückchen

sponge fingers
die Löffelbiskuits

florentine
der Florentiner

trifle
das Trifle

biscuits | die Kekse

mousse
die Mousse

sorbet
das Sorbet

cream pie
die Sahnetorte

crème caramel
der Karamellpudding

celebration cakes • die festlichen Kuchen

top tier
der obere Kuchenteil

ribbon
das Band

decoration
die
Dekoration

birthday candles
die Geburtstagskerzen

blow out (v)
ausblasen

bottom tier
der untere
Kuchenteil

icing
der
Zuckerguss

marzipan
das Marzipan

wedding cake | die Hochzeitstorte

birthday cake | der Geburtstagskuchen

delicatessen • die Feinkost

flan
die Quiche

spicy sausage
die
pikante Wurst

vinegar
der Essig

oil
das Öl

uncooked meat
das frische Fleisch

counter
die Theke

salami
die Salami

pepperoni
die
Peperoniwurst

pâté
die Pastete

mozzarella
der Mozzarella

brie
der Brie

goat's cheese
der Ziegenkäse

cheddar
der Cheddar

parmesan
der Parmesan

camembert
der Camembert

rind
die Rinde

edam
der Edamer

manchego
der Manchego

pies
die Pasteten

black olive
die schwarze Olive

chilli
die Peperoni

sauce
die Soße

bread roll
das Brötchen

cooked meat
der Aufschnitt

green olive
die grüne Olive

ham
der Schinken

sandwich counter
die Sandwichtheke

smoked fish
der Räucherfisch

capers
die Kapern

chorizo
die Chorizo

prosciutto
der Prosciutto

stuffed olive
die gefüllte Olive

vocabulary • Vokabular

in oil in Öl	**marinated** mariniert	**smoked** geräuchert
in brine in Lake	**salted** gepökelt	**cured** getrocknet

Take a number please.
Nehmen Sie bitte eine Nummer.

Can I try some of that please?
Kann ich bitte etwas davon probieren?

May I have six slices of that please?
Ich hätte gerne sechs Scheiben davon, bitte.

drinks • die Getränke

water • das Wasser

bottled water
das Flaschenwasser

sparkling
mit Kohlensäure

still
ohne
Kohlensäure

tap water
das Leitungswasser

tonic water
das Tonicwater

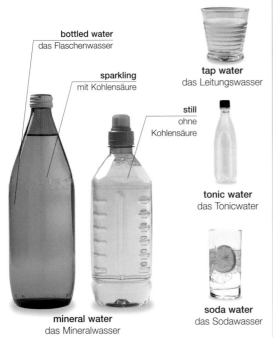

soda water
das Sodawasser

mineral water
das Mineralwasser

hot drinks • die heißen Getränke

teabag
der Teebeutel

loose leaf tea
die Teeblätter

tea
der Tee

beans
die Bohnen

ground coffee
der gemahlene
Kaffee

coffee
der Kaffee

hot chocolate
die heiße
Schokolade

malted drink
das Malzgetränk

---

soft drinks • die alkoholfreien Getränke

straw
der Strohhalm

tomato juice
der Tomatensaft

grape juice
der Traubensaft

lemonade
die Limonade

orangeade
die Orangen-
limonade

cola
die Cola

---

alcoholic drinks • die alkoholischen Getränke

gin
der Gin

can
die Dose

beer
das Bier

cider
der Apfelwein

bitter
das halbdunkle
Bier

stout
das Schwarzbier

vodka
der Wodka

whisky
der Whisky

rum
der Rum

brandy
der Weinbrand

port
der Portwein

dry
trocken

sherry
der Sherry

Campari
der Campari

rosé
rosé

white
weiß

red
rot

liqueur
der Likör

tequila
der Tequila

champagne
der Champagner

wine
der Wein

eating out
auswärts essen

café • das Café

umbrella
der Sonnen-schirm

awning
die Markise

menu
die Speisekarte

terrace café
das Terrassencafé

waiter
der Kellner

coffee machine
die Kaffeemaschine

table
der Tisch

pavement café | das Straßencafé

snack bar | die Snackbar

coffee • der Kaffee

white coffee
der Milchkaffee

black coffee
der schwarze Kaffee

cocoa powder
das Kakaopulver

froth
der Schaum

filter coffee
der Filterkaffee

espresso
der Espresso

cappuccino
der Cappuccino

iced coffee
der Eiskaffee

tea • der Tee

herbal tea
der Kräutertee

camomile tea
der Kamillentee

green tea
der grüne Tee

tea with milk
der Tee mit Milch

black tea
der schwarze
Tee

tea with lemon
der Tee mit
Zitrone

mint tea
der Pfefferminztee

iced tea
der Eistee

juices and milkshakes • die Säfte und Milchshakes

chocolate milkshake
der Schokoladenmilchshake

**strawberry
milkshake**
der Erdbeer-
milchshake

orange juice
der
Orangensaft

apple juice
der Apfelsaft

**pineapple
juice**
der Ananassaft

tomato juice
der Tomatensaft

coffee milkshake
der Kaffeemilchshake

food • das Essen

brown bread
das Graubrot

scoop
die Kugel

toasted sandwich
das getoastete Sandwich

salad
der Salat

ice cream
das Eis

pastry
das Gebäck

bar • die Bar

glasses
die Gläser

optic
das Maß

till
die Kasse

bartender
der Barkeeper

beer tap
der Zapfhahn

coffee machine
die Kaffeemaschine

ice bucket
der Eiskübel

bar stool
der Barhocker

ashtray
der Aschen-
becher

coaster
der Untersetzer

bar counter
die Theke

bottle opener
der Flaschenöffner

tongs
die Eiszange

stirrer
der Cocktailrührer

lever
der Hebel

measure
der Messbecher

corkscrew | der Korkenzieher

cocktail shaker | der Cocktailshaker

gin and tonic
der Gin Tonic

pitcher
der Krug

scotch and water
der Scotch mit Wasser

ice cube
der Eiswürfel

rum and coke
der Rum mit Cola

vodka and orange
der Wodka mit
Orangensaft

martini
der Martini

cocktail
der Cocktail

wine
der Wein

beer | das Bier

a shot
ein Schnaps

single
einfach

double
doppelt

measure
das Maß

without ice
ohne Eis

ice and lemon
Eis und Zitrone

with ice
mit Eis

bar snacks • die Knabbereien

cashewnuts
die Cashewnüsse

peanuts
die Erdnüsse

almonds
die Mandeln

crisps | die Kartoffelchips

nuts | die Nüsse

olives | die Oliven

restaurant • das Restaurant

table setting
das Gedeck

commis chef
der Hilfskoch

glass
das Glas

chef
der Küchenchef

tray
das Tablett

kitchen
die Küche

waiter
der Kellner

vocabulary • Vokabular

lunch menu das Mittagsmenü	**specials** die Spezialitäten	**price** der Preis	**tip** das Trinkgeld	**buffet** das Buffet	**salt** das Salz
evening menu das Abendmenü	**à la carte** à la carte	**receipt** die Quittung	**bar** die Bar	**customer** der Kunde	**pepper** der Pfeffer
wine list die Weinkarte	**sweet trolley** der Dessertwagen	**bill** die Rechnung	**service not included** ohne Bedienung	**service included** Bedienung inbegriffen	

menu
die Speisekarte

child's meal
die Kinderportion

order (v)
bestellen

pay (v)
bezahlen

courses • die Gänge

apéritif
der Aperitif

starter
die Vorspeise

soup
die Suppe

main course
das Hauptgericht

side order
die Beilage

dessert | der Nachtisch

coffee | der Kaffee

A table for two please.
Ein Tisch für zwei Personen bitte.

Can I see the menu/winelist please?
Könnte ich bitte die Speisekarte/Weinliste sehen?

Is there a fixed price menu?
Gibt es ein Festpreismenü?

Do you have any vegetarian dishes?
Haben Sie vegetarische Gerichte?

Could I have the bill/a receipt please?
Könnte ich die Rechnung/Quittung haben?

Can we pay separately?
Könnten wir getrennt zahlen?

Where are the toilets, please?
Wo sind die Toiletten bitte ?

---

fast food • der Schnellimbiss

burger
der Hamburger

straw
der Strohhalm

soft drink
das alkoholfreie Getränk

french fries
die Pommes frites

paper napkin
die Papierserviette

tray
das Tablett

burger meal
der Hamburger mit Pommes frites

vocabulary • Vokabular

pizza parlour
die Pizzeria

burger bar
die Imbissstube

menu
die Speisekarte

eat-in
hier essen

take-away
zum Mitnehmen

re-heat (v)
aufwärmen

tomato sauce
der Tomatenketchup

Can I have that to go please?
Ich möchte das mitnehmen.

Do you deliver?
Liefern Sie ins Haus?

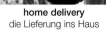

pizza
die Pizza

price list
die Preisliste

canned drink
das Dosengetränk

home delivery
die Lieferung ins Haus

street stall
der Imbissstand

bun
das Brötchen

mustard
der Senf

sausage
die Wurst

hamburger
der Hamburger

chicken burger
der Chickenburger

veggie burger
der vegetarische Hamburger

hot dog
der Hotdog

filling
die Füllung

sandwich
das Sandwich

club sandwich
das Klubsandwich

open sandwich
das belegte Brot

wrap
der Wrap

sauce
die Soße

savoury
salzig

sweet
süß

topping
der Pizzabelag

kebab
der Fleischspieß

chicken nuggets
die Hähnchenstückchen

crêpes | die Crêpes

fish and chips
der Bratfisch mit
Pommes frites

ribs
die Rippchen

fried chicken
das gebratene Hähnchen

pizza
die Pizza

breakfast • das Frühstück

cereal
die Getreideflocken

dried fruit
das Dörrobst

cheese
der Käse

crispbread
das Knäckebrot

milk
die Milch

jam
die Konfitüre

ham
der Schinken

breakfast buffet
das Frühstücksbuffet

marmalade
die Orangenmarmelade

pâté
die Pastete

butter
die Butter

fruit juice
der Obstsaft

coffee
der Kaffee

hot chocolate
die heiße
Schokolade

croissant
das Croissant

tea
der Tee

breakfast table | der Frühstückstisch

drinks | die Getränke

brioche
die Brioche

bread
das Brot

tomato
die Tomate

black pudding
die Blutwurst

toast
der Toast

sausage
das Würst-
chen

fried egg
das Spiegelei

bacon
der Früh-
stücksspeck

English breakfast
das englische Frühstück

kippers
die Räucherheringe

french toast
die Armen Ritter

yolk
das Eigelb

boiled egg
das gekochte Ei

scrambled eggs
das Rührei

cream
die Sahne

pancakes
die Pfannkuchen

waffles
die Waffeln

fruit yoghurt
der Früchtejoghurt

porridge
der Haferbrei

fresh fruit
das Obst

dinner • die Hauptmahlzeit

soup | die Suppe

broth | die Brühe

stew | der Eintopf

curry | das Curry

roast
der Braten

pie
die Pastete

soufflé
das Soufflé

kebab
der Schaschlik

noodles
die Nudeln

meatballs
die Fleischklöße

omelette
das Omelett

stir fry
das Pfannengericht

pasta | die Nudeln

rice
der Reis

mixed salad
der gemischte Salat

green salad
der grüne Salat

dressing
die Salatsoße

techniques • die Zubereitung

stuffed | gefüllt	**in sauce** | in Soße	**grilled** | gegrillt	**marinated** | mariniert

poached | pochiert	**mashed** | püriert	**baked** | gebacken	**pan fried** | kurzgebraten

fried gebraten	**pickled** eingelegt	**smoked** geräuchert	**deep fried** frittiert

in syrup in Saft	**dressed** angemacht	**steamed** gedämpft	**cured** getrocknet

study
das Lernen

school • die Schule

blackboard
die Tafel

teacher
die Lehrerin

school bag
die Schultasche

pupil
der Schüler

desk
das Pult

chalk
die Kreide

classroom | das Klassenzimmer

schoolgirl
das Schulmädchen

schoolboy
der Schuljunge

---

vocabulary • Vokabular

geography die Erdkunde	art die Kunst	physics die Physik
literature die Literatur	music die Musik	chemistry die Chemie
languages die Sprachen	maths die Mathematik	biology die Biologie
history die Geschichte	science die Naturwissenschaft	physical education der Sport

activities • die Aktivitäten

read (v) | lesen

write (v) | schreiben

spell (v)
buchstabieren

draw (v)
zeichnen

nib
die Feder

colouring pencil
der Buntstift

pencil
sharpener
der Anspitzer

digital projector
der Digitalprojektor

pen
der Füller

pencil
der Bleistift

notebook
das Heft

rubber
der Radiergummi

textbook | das Schulbuch

pencil case
das Federmäppchen

ruler
das Lineal

question (v)
fragen

answer (v)
antworten

discuss (v)
diskutieren

learn (v)
lernen

vocabulary • Vokabular

head teacher der Schulleiter	**answer** die Antwort	**grade** die Note
lesson die Stunde	**examination** die Prüfung	**year** die Klasse
question die Frage	**essay** der Aufsatz	**encyclopedia** das Lexikon
take notes (v) Notizen machen	**homework** die Hausaufgabe	**dictionary** das Wörterbuch

maths • die Mathematik

shapes • die Formen

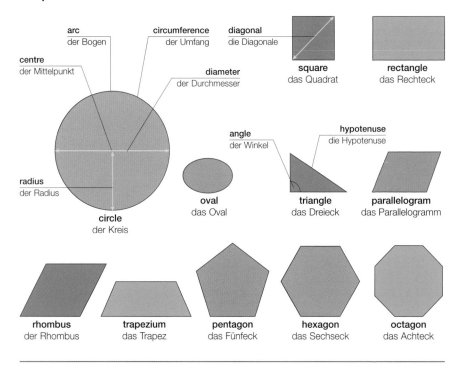

arc
der Bogen

circumference
der Umfang

diagonal
die Diagonale

centre
der Mittelpunkt

diameter
der Durchmesser

square
das Quadrat

rectangle
das Rechteck

angle
der Winkel

hypotenuse
die Hypotenuse

radius
der Radius

oval
das Oval

triangle
das Dreieck

parallelogram
das Parallelogramm

circle
der Kreis

rhombus
der Rhombus

trapezium
das Trapez

pentagon
das Fünfeck

hexagon
das Sechseck

octagon
das Achteck

solids •. die Körper

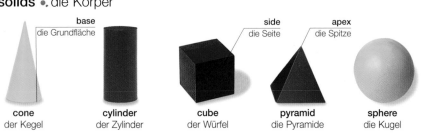

base
die Grundfläche

side
die Seite

apex
die Spitze

cone
der Kegel

cylinder
der Zylinder

cube
der Würfel

pyramid
die Pyramide

sphere
die Kugel

lines • die Linien

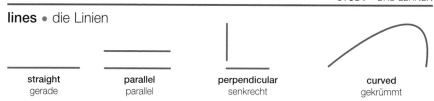

straight	parallel	perpendicular	curved
gerade	parallel	senkrecht	gekrümmt

measurements • die Maße

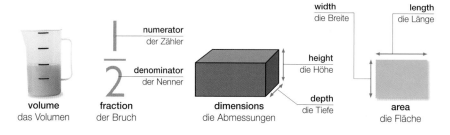

width
die Breite

length
die Länge

height
die Höhe

depth
die Tiefe

volume	fraction	dimensions	area
das Volumen	der Bruch	die Abmessungen	die Fläche

numerator
der Zähler

denominator
der Nenner

equipment • die Ausrüstung

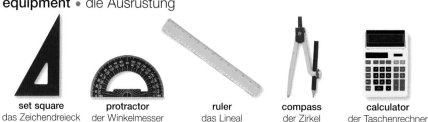

set square	protractor	ruler	compass	calculator
das Zeichendreieck	der Winkelmesser	das Lineal	der Zirkel	der Taschenrechner

---

vocabulary • Vokabular

geometry	plus	times	equals	add (v)	multiply (v)	equation
die Geometrie	plus	mal	gleich	addieren	multiplizieren	die Gleichung

arithmetic	minus	divided by	count (v)	subtract (v)	divide (v)	percentage
die Arithmetik	minus	geteilt durch	zählen	subtrahieren	dividieren	der Prozentsatz

---

sciences • die Naturwissenschaften

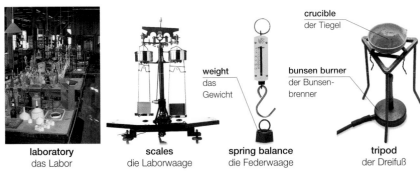

laboratory
das Labor

scales
die Laborwaage

weight
das Gewicht

spring balance
die Federwaage

crucible
der Tiegel

bunsen burner
der Bunsen-brenner

tripod
der Dreifuß

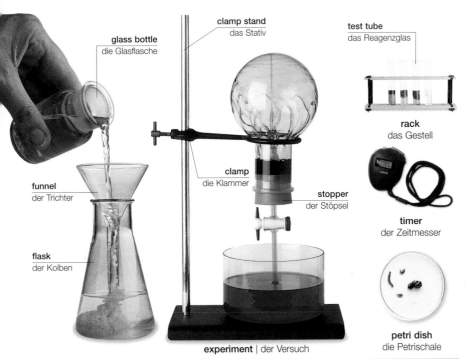

glass bottle
die Glasflasche

clamp stand
das Stativ

test tube
das Reagenzglas

rack
das Gestell

funnel
der Trichter

clamp
die Klammer

stopper
der Stöpsel

timer
der Zeitmesser

flask
der Kolben

petri dish
die Petrischale

experiment | der Versuch

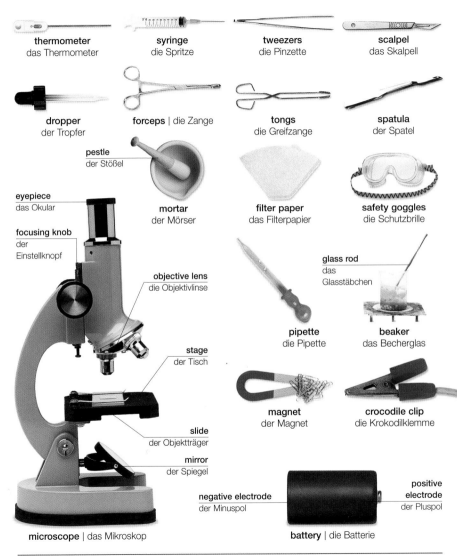

thermometer
das Thermometer

syringe
die Spritze

tweezers
die Pinzette

scalpel
das Skalpell

dropper
der Tropfer

forceps | die Zange

tongs
die Greifzange

spatula
der Spatel

pestle
der Stößel

mortar
der Mörser

filter paper
das Filterpapier

safety goggles
die Schutzbrille

eyepiece
das Okular

focusing knob
der Einstellknopf

objective lens
die Objektivlinse

glass rod
das Glasstäbchen

pipette
die Pipette

beaker
das Becherglas

stage
der Tisch

slide
der Objektträger

mirror
der Spiegel

magnet
der Magnet

crocodile clip
die Krokodilklemme

microscope | das Mikroskop

negative electrode
der Minuspol

positive electrode
der Pluspol

battery | die Batterie

college • die Hochschule

admissions
das Sekretariat

sports field
der Sportplatz

refectory
die Mensa

hall of
residence
das Studenten-
wohnheim

health centre
die Gesundheits-
fürsorge

campus | der Campus

vocabulary • Vokabular		
library card der Leserausweis	**enquiries** die Auskunft	**renew (v)** verlängern
reading room der Lesesaal	**borrow (v)** ausleihen	**book** das Buch
reading list die Literaturliste	**reserve (v)** vorbestellen	**title** der Titel
return date das Rückgabedatum	**loan** die Ausleihe	**aisle** der Gang

loans desk
die Ausleihe

librarian
die Bibliothekarin

bookshelf
das Bücherregal

periodical
das Periodikum

journal
die Zeitschrift

library | die Bibliothek

undergraduate
der Student

lecturer
der Dozent

graduate
die Graduierte

robe
die Robe

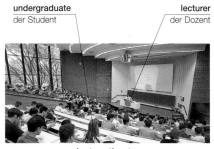

lecture theatre
der Hörsaal

graduation ceremony
die Graduierungsfeier

schools • die Fachhochschulen

model
das Modell

art college
die Kunsthochschule

music school
die Musikhochschule

dance academy
die Tanzakademie

vocabulary • Vokabular

scholarship das Stipendium	**research** die Forschung	**dissertation** die Examensarbeit	**medicine** die Medizin	**history of art** die Kunstgeschichte
diploma das Diplom	**masters** der Magister	**department** der Fachbereich	**zoology** die Zoologie	**politics** die Politologie
postgraduate postgraduiert	**doctorate** die Promotion	**engineering** der Maschinenbau	**physics** die Physik	**literature** die Literaturwissen-schaft
degree der akademische Grad	**thesis** die Dissertation	**law** die Rechtswissenschaft	**philosophy** die Philosophie	**economics** die Wirtschaftswissenschaft

work
die Arbeit

office 1 • das Büro 1

office • das Büro

monitor
der Bildschirm

desktop organizer
der Stifthalter

notebook
das Notizbuch

laptop
der Laptop

in-tray
die Ablage für Eingänge

out-tray
die Ablage für Ausgänge

drawer
die Schublade

desk
der Schreibtisch

swivel chair
der Drehstuhl

wastebasket
der Papierkorb

filing cabinet
der Aktenschrank

---

office equipment • die Büroausstattung

paper tray
der Papierbehälter

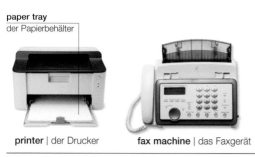

printer | der Drucker

fax machine | das Faxgerät

vocabulary • Vokabular	
print (v) drucken	**enlarge (v)** vergrößern
copy (v) kopieren	**reduce (v)** verkleinern

I need to make some copies.
Ich möchte fotokopieren.

office supplies • der Bürobedarf

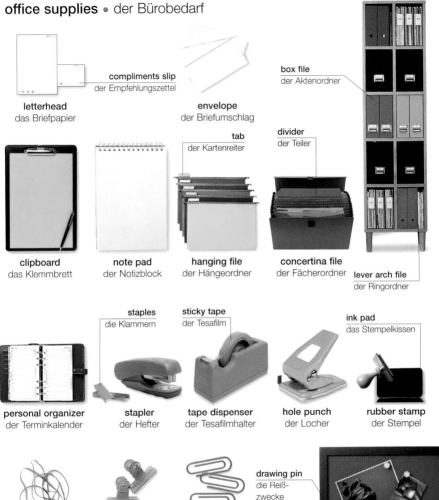

compliments slip
der Empfehlungszettel

box file
der Aktenordner

letterhead
das Briefpapier

envelope
der Briefumschlag

tab
der Kartenreiter

divider
der Teiler

clipboard
das Klemmbrett

note pad
der Notizblock

hanging file
der Hängeordner

concertina file
der Fächerordner

lever arch file
der Ringordner

staples
die Klammern

sticky tape
der Tesafilm

ink pad
das Stempelkissen

personal organizer
der Terminkalender

stapler
der Hefter

tape dispenser
der Tesafilmhalter

hole punch
der Locher

rubber stamp
der Stempel

rubber band
das Gummiband

bulldog clip
die Papierklammer

paper clip
die Büroklammer

drawing pin
die Reiß-
zwecke

notice board | die Pinnwand

---

office 2 • das Büro 2

flipchart
das Flipchart

easel
das Gestell

manager
der Manager

proposal
das Angebot

minutes
das Protokoll

report
der Bericht

executive
der leitende
Angestellte

meeting | die Sitzung

---

vocabulary • Vokabular

meeting room
der Sitzungsraum

attend (v)
teilnehmen

agenda
die Tagesordnung

chair (v)
den Vorsitz führen

What time is the meeting?
Um wie viel Uhr ist die Sitzung?

What are your office hours?
Welche sind Ihre Geschäftszeiten?

speaker
die Sprecherin

presentation | die Präsentation

---

business • das Geschäft

businessman
der Geschäftsmann

businesswoman
die Geschäftsfrau

business lunch
das Arbeitsessen

business trip
die Geschäftsreise

appointment
der Termin

managing director
der Geschäftsführer

client
die Kundin

diary | der Terminkalender

business deal
das Geschäftsabkommen

---

vocabulary • Vokabular

company
die Firma

staff
das Personal

accounts department
die Buchhaltung

legal department
die Rechtsabteilung

head office
die Zentrale

payroll
die Lohnliste

marketing department
die Marketingabteilung

personnel department
die Personalabteilung

branch
die Zweigstelle

salary
das Gehalt

sales department
die Verkaufsabteilung

customer service department
die Kundendienstabteilung

---

computer • der Computer

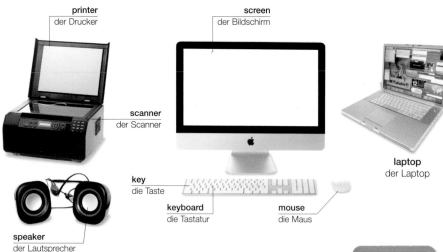

printer
der Drucker

screen
der Bildschirm

scanner
der Scanner

laptop
der Laptop

key
die Taste

keyboard
die Tastatur

mouse
die Maus

speaker
der Lautsprecher

hardware
die Hardware

memory stick
der Memorystick

external hard drive
die externe Festplatte

vocabulary • Vokabular		
system das System	**application** die Anwendung	**server** der Server
RAM das RAM	**program** das Programm	**port** der Port
bytes die Bytes	**network** das Netzwerk	
memory der Speicher	**processor** der Prozessor	
software die Software	**power cable** das Stromkabel	

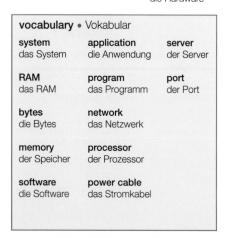

iPad
das iPad

smartphone
das Smartphone

desktop • der Desktop

menubar
die Menüleiste

font
die Schriftart

toolbar
die Werkzeugleiste

icon
das Symbol

scrollbar
der Scrollbalken

window
das Fenster

wallpaper
der Bildschirm-
hintergrund

file
die Datei

folder
der Ordner

trash
der Papierkorb

internet • das Internet

browser
der Browser

email • die E-Mail

email address
die E-Mail-Adresse

inbox
der Posteingang

website
die Webseite

browse (v)
browsen

---

vocabulary • Vokabular

connect (v) verbinden	**service provider** der Serviceprovider	**log on (v)** einloggen	**download (v)** herunterladen	**send (v)** senden	**save (v)** sichern
instal (v) installieren	**email account** das E-Mail-Konto	**on-line** online	**attachment** der Anhang	**receive (v)** erhalten	**search (v)** suchen

---

media • die Medien

television studio • das Fernsehstudio

presenter
der Moderator

light
die Beleuchtung

set
die Studioeinrichtung

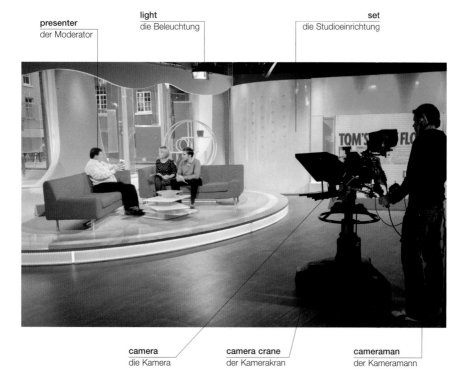

camera
die Kamera

camera crane
der Kamerakran

cameraman
der Kameramann

---

vocabulary • Vokabular

press die Presse	**soap** die Seifenoper	**news** die Nachrichten	**live** live	**cartoon** der Zeichen- trickfilm	**programming** die Programm- gestaltung
channel der Kanal	**game show** die Spielshow	**television series** die Fernsehserie	**broadcast (v)** senden	**prerecorded** vorher aufgezeichnet	**documentary** der Dokumentar- film

---

interviewer
der Interviewer

reporter
die Reporterin

autocue
der Teleprompter

newsreader
die Nachrichtensprecherin

actors
die Schauspieler

sound boom
der Mikrofongalgen

clapper board
die Klappe

film set
das Set

radio • das Radio

sound technician
der Tonmeister

mixing desk
das Mischpult

microphone
das Mikrofon

recording studio | das Tonstudio

---

vocabulary • Vokabular

long wave die Langwelle	**medium wave** die Mittelwelle
DJ der DJ	**frequency** die Frequenz
broadcast die Sendung	**volume** die Lautstärke
wavelength die Wellenlänge	**tune (v)** einstellen
radio station die Rundfunkstation	**analog** analog
short wave die Kurzwelle	**digital** digital

---

law • das Recht

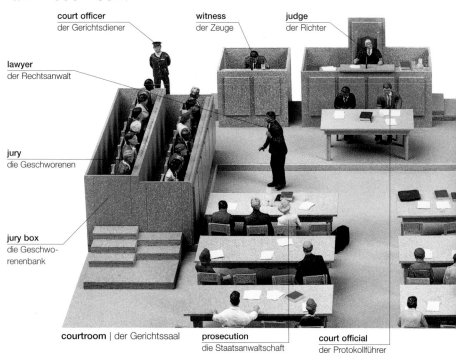

court officer
der Gerichtsdiener

witness
der Zeuge

judge
der Richter

lawyer
der Rechtsanwalt

jury
die Geschworenen

jury box
die Geschwo-
renenbank

courtroom | der Gerichtssaal

prosecution
die Staatsanwaltschaft

court official
der Protokollführer

---

vocabulary • Vokabular

lawyer's office das Anwaltsbüro	**summons** die Vorladung	**writ** die Verfügung	**charge** die Anklage
legal advice die Rechtsberatung	**statement** die Aussage	**court date** der Gerichtstermin	**accused** der Angeklagte
client der Klient	**warrant** der Haftbefehl	**plea** das Plädoyer	**court case** das Gerichts- verfahren

---

stenographer
der Gerichtsstenograf

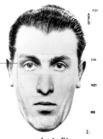

criminal
der
Straftäter

suspect
der Verdächtige

defendant
der Angeklagte

defence
die Verteidigung

photofit
das Phantombild

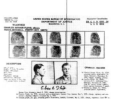

criminal record
das Strafregister

prison guard
der Gefängniswärter

cell
die Gefängniszelle

prison
das Gefängnis

---

vocabulary • Vokabular

evidence
das Beweismittel

guilty
schuldig

bail
die Kaution

I want to see a lawyer.
Ich möchte mit einem Anwalt
sprechen.

verdict
das Urteil

acquitted
freigesprochen

appeal
die Berufung

Where is the courthouse?
Wo ist das Gericht?

innocent
unschuldig

sentence
das Strafmaß

parole
die Haftentlassung auf
Bewährung

Can I post bail?
Kann ich die Kaution leisten?

---

farm 1 • der Bauernhof 1

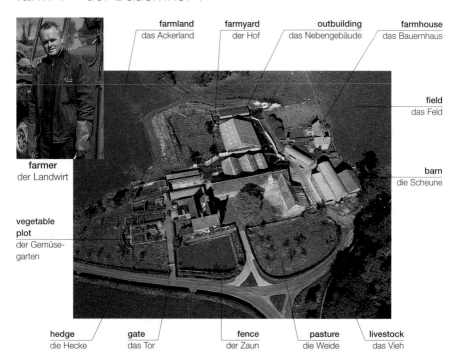

farmland	farmyard	outbuilding	farmhouse
das Ackerland	der Hof	das Nebengebäude	das Bauernhaus

field
das Feld

farmer
der Landwirt

barn
die Scheune

vegetable plot
der Gemüse-garten

hedge	gate	fence	pasture	livestock
die Hecke	das Tor	der Zaun	die Weide	das Vieh

cultivator
der Kultivator

tractor | der Traktor

combine harvester | der Mähdrescher

types of farm • die landwirtschaftlichen Betriebe

crop
die Feldfrucht

flock
die Herde

arable farm
der Ackerbaubetrieb

dairy farm
der Betrieb für
Milchproduktion

sheep farm
die Schaffarm

poultry farm
die Hühnerfarm

vine
der Weinstock

pig farm
die Schweinefarm

fish farm
die Fischzucht

fruit farm
der Obstanbau

vineyard
der Weinberg

---

actions • die Tätigkeiten

furrow
die
Furche

plough (v)
pflügen

sow (v)
säen

milk (v)
melken

feed (v)
füttern

water (v) | bewässern

harvest (v) | ernten

vocabulary • Vokabular

herbicide	**herd**	**trough**
das Herbizid	die Herde	der Trog
pesticide	**silo**	**plant (v)**
das Pestizid	das Silo	pflanzen

---

farm 2 • der Bauernhof 2

crops • die Feldfrüchte

wheat
der Weizen

corn
der Mais

barley
die Gerste

rapeseed
der Raps

sunflower
die Sonnenblume

bale
der Ballen

hay
das Heu

alfalfa
die Luzerne

tobacco
der Tabak

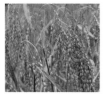
rice
der Reis

tea
der Tee

coffee
der Kaffee

flax
der Flachs

sugarcane
das Zuckerrohr

cotton
die Baumwolle

scarecrow
die Vogelscheuche

livestock • das Vieh

piglet
das Ferkel

calf
das Kalb

pig
das Schwein

cow
die Kuh

bull
der Stier

sheep
das Schaf

kid
das Zicklein

foal
das Fohlen

lamb
das Lamm

goat
die Ziege

horse
das Pferd

donkey
der Esel

chick
das Küken

duckling
das
Entenküken

chicken
das Huhn

cockerel
der Hahn

turkey
der Truthahn

duck
die Ente

stable
der Stall

pen
der Pferch

chicken coop
der Hühnerstall

pigsty
der Schweinestall

construction • der Bau

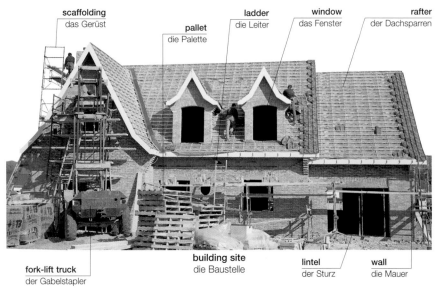

scaffolding
das Gerüst

pallet
die Palette

ladder
die Leiter

window
das Fenster

rafter
der Dachsparren

fork-lift truck
der Gabelstapler

building site
die Baustelle

lintel
der Sturz

wall
die Mauer

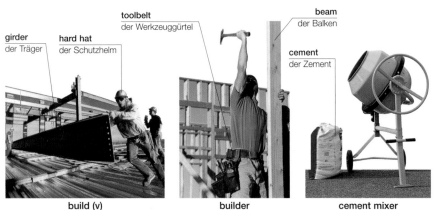

girder
der Träger

hard hat
der Schutzhelm

toolbelt
der Werkzeuggürtel

beam
der Balken

cement
der Zement

build (v)
bauen

builder
der Bauarbeiter

cement mixer
die Betonmischmaschine

materials • das Material

brick
der Ziegelstein

timber
das Bauholz

roof tile
der Dachziegel

concrete block
der Betonblock

tools • die Werkzeuge

mortar
der Mörtel

trowel
die Kelle

spirit level
die Wasserwaage

handle
der Stiel

sledgehammer
der
Vorschlaghammer

pickaxe
die
Spitzhacke

shovel
die Schaufel

machinery • die Maschinen

roller
die Walze

dumper truck
der Kipper

support
die Stütze

hook
der Haken

crane | der Kran

roadworks • die Straßenarbeiten

tarmac
der Asphalt

cone
der
Leitkegel

pneumatic drill
der
Pressluftbohrer

resurfacing
der Neubelag

**mechanical
digger**
der Bagger

occupations 1 • die Berufe 1

carpenter
der Schreiner

electrician
der Elektriker

plumber
der Klempner

builder
der Maurer

gardener
der Gärtner

vacuum
cleaner
der Staub-
sauger

cleaner
der Gebäudereiniger

mechanic
der Mechaniker

butcher
der Metzger

fishmonger
die Fischhändlerin

greengrocer
der Gemüsehändler

florist
die Floristin

hairdresser
der Friseur

barber
der Herrenfriseur

jeweller
der Juwelier

shop assistant
die Verkäuferin

estate agent
die Immobilienmaklerin

optician
der Optiker

mask
der
Mundschutz

dentist
die Zahnärztin

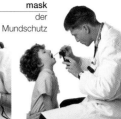

doctor
der Arzt

pharmacist
die Apothekerin

nurse
die Krankenschwester

vet
die Tierärztin

farmer
der Landwirt

fisherman
der Fischer

machine-
gun
das
Maschinen-
gewehr

identity badge
das Abzeichen

uniform
die Uniform

security guard
der Wächter

sailor
der Seemann

soldier
der Soldat

policeman
der Polizist

fireman
der Feuerwehrmann

occupations 2 • die Berufe 2

model
das Modell

lawyer
die Rechtsanwältin

accountant
der Wirtschaftsprüfer

architect
der Architekt

scientist
die Wissenschaftlerin

teacher
die Lehrerin

librarian
der Bibliothekar

receptionist
die Empfangsdame

mailbag
die Posttasche

postman
der Briefträger

bus driver
der Busfahrer

lorry driver
der Lastwagenfahrer

taxi driver
der Taxifahrer

pilot
der Pilot

air stewardess
die Flugbegleiterin

travel agent
die Reisebürokauffrau

chef's hat
die
Kochmütze

chef
der Koch

tutu
das Ballett-
röckchen

musician
der Musiker

dancer
die Tänzerin

actress
die Schauspielerin

singer
die Sängerin

waitress
die Kellnerin

barman
der Barkeeper

sportsman
der Sportler

sculptor
der Bildhauer

notes
die Notizen

painter
die Malerin

photographer
der Fotograf

newsreader
die Nachrichtensprecherin

journalist
der Journalist

editor
die Redakteurin

designer
der Designer

seamstress
die Damenschneiderin

tailor
der Schneider

transport
der Verkehr

roads • die Straßen

motorway
die Autobahn

toll booth
die Mautstelle

road markings
die Straßen-
markierungen

slip road
die Zufahrtsstraße

one-way street
die Einbahnstraße

divider
die Trennlinie

junction
die Kreuzung

traffic light
die Verkehrs-
ampel

inside lane
die rechte Spur

middle lane
die mittlere Spur

outside lane
die Überholspur

exit ramp
die Ausfahrt

traffic
der Verkehr

flyover
die Überführung

hard shoulder
der Seitenstreifen

lorry
der Lastwagen

central reservation
der Mittelstreifen

underpass
die Unterführung

emergency phone
die Notrufsäule

disabled parking
der Behinderten-
parkplatz

traffic jam
der Verkehrsstau

pedestrian crossing
der Fußgänger-
überweg

satnav
das Navi

parking meter
die Parkuhr

traffic policeman
der Verkehrspolizist

vocabulary • Vokabular

roundabout der Kreisverkehr	**reverse (v)** rückwärts fahren	**roadworks** die Straßenbaustelle
diversion die Umleitung	**drive (v)** fahren	**dual carriageway** die Schnellstraße
park (v) parken	**tow away (v)** abschleppen	**Is this the road to...?** Ist dies die Straße nach…?
overtake (v) überholen	**crash barrier** die Leitplanke	**Where can I park?** Wo kann ich parken?

road signs • die Verkehrsschilder

no entry
keine Einfahrt

speed limit
die Geschwindig-
keitsbegrenzung

hazard
Gefahr

no stopping
Halten
verboten

no right turn
rechts abbiegen
verboten

bus • der Bus

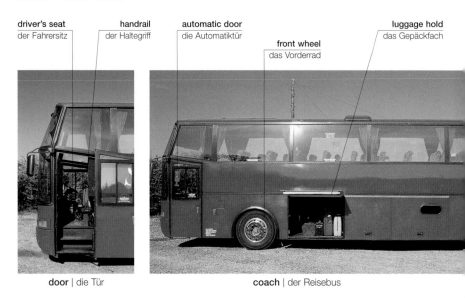

driver's seat	handrail	automatic door	luggage hold
der Fahrersitz	der Haltegriff	die Automatiktür	das Gepäckfach

front wheel
das Vorderrad

door | die Tür

coach | der Reisebus

types of buses • die Bustypen

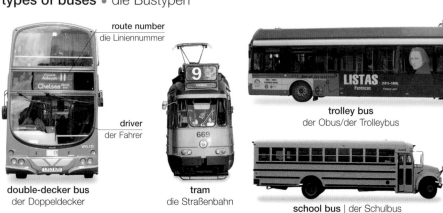

route number
die Liniennummer

driver
der Fahrer

double-decker bus
der Doppeldecker

tram
die Straßenbahn

trolley bus
der Obus/der Trolleybus

school bus | der Schulbus

rear wheel
das Hinterrad

window
das Fenster

stop button
der Halteknopf

bus ticket
der Fahrschein

bell
die Klingel

bus station
der Busbahnhof

bus stop
die Bushaltestelle

vocabulary • Vokabular

fare der Fahrpreis	**wheelchair access** der Rollstuhlzugang
timetable der Fahrplan	**bus shelter** das Wartehäuschen
Do you stop at…? Halten Sie am…?	**Which bus goes to…?** Welcher Bus fährt nach…?

minibus
der Kleinbus

tourist bus | der Touristenbus

shuttle bus | der Zubringer

car 1 • das Auto 1

exterior • das Äußere

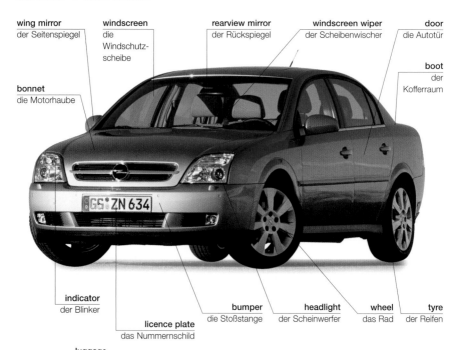

wing mirror
der Seitenspiegel

windscreen
die Windschutz-scheibe

rearview mirror
der Rückspiegel

windscreen wiper
der Scheibenwischer

door
die Autotür

boot
der Kofferraum

bonnet
die Motorhaube

indicator
der Blinker

bumper
die Stoßstange

headlight
der Scheinwerfer

wheel
das Rad

tyre
der Reifen

licence plate
das Nummernschild

luggage
das Gepäck

roofrack
der Dachgepäckträger

tailgate
die Hecktür

seat belt
der Sicherheitsgurt

child seat
der Kindersitz

types • die Wagentypen

electric car
das Elektroauto

hatchback
die Fließhecklimousine

saloon
die Limousine

estate
der Kombiwagen

convertible
das Cabrio

sports car
der Sportwagen

people carrier
die Großraumlimousine

four-wheel drive
der Geländewagen

vintage
der Oldtimer

limousine
die Stretchlimousine

petrol station • die Tankstelle

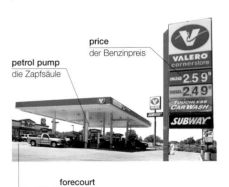

price
der Benzinpreis

petrol pump
die Zapfsäule

forecourt
der Tankstellenplatz

vocabulary • Vokabular

oil	**leaded**	**car wash**
das Öl	verbleit	die Autowaschanlage
unleaded	**diesel**	**antifreeze**
bleifrei	der Diesel	das Frostschutzmittel
petrol	**garage**	**screenwash**
das Benzin	die Werkstatt	die Scheiben- waschanlage

Fill the tank, please.
Voll tanken, bitte.

car 2 • das Auto 2

interior • die Innenausstattung

back seat
der Rücksitz

armrest
die Armstütze

headrest
die Kopfstütze

door lock
die Türverriegelung

handle
der Türgriff

---

vocabulary • Vokabular

two-door zweitürig	**four-door** viertürig	**automatic** mit Automatik	**brake** die Bremse	**accelerator** das Gaspedal
three-door dreitürig	**manual** mit Handschaltung	**ignition** die Zündung	**clutch** die Kupplung	**air conditioning** die Klimaanlage

Can you tell me the way to...?
Wie komme ich nach...?

Where is the car park?
Wo ist hier ein Parkplatz?

Can I park here?
Kann ich hier parken?

---

controls • die Armaturen

steering wheel
das Lenkrad

horn
die Hupe

dashboard
das Armaturenbrett

hazard lights
die Warnlichter

satellite navigation
das GPS-System

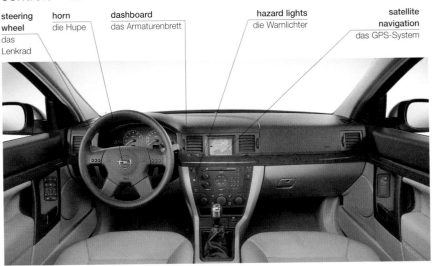

left-hand drive | die Linkssteuerung

temperature gauge
die Temperaturanzeige

rev counter
der Drehzahlmesser

speedometer
der Tachometer

fuel gauge
die Kraftstoffanzeige

car stereo
die Autostereoanlage

lights switch
der Lichtschalter

heater controls
der Heizungsregler

odometer
der Kilometerzähler

air bag
der Airbag

gearstick
der Schalthebel

right-hand drive | die Rechtssteuerung

english • deutsch

car 3 • das Auto 3

mechanics • die Mechanik

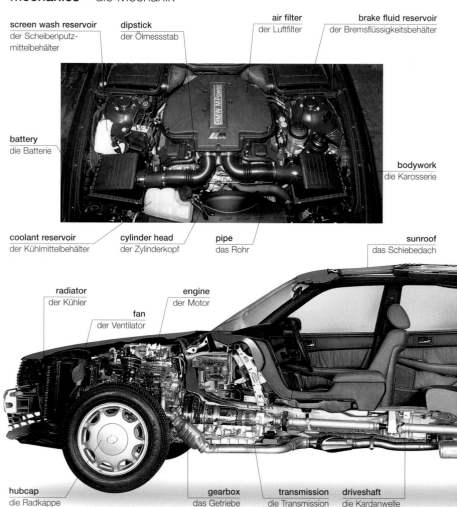

screen wash reservoir
der Scheibenputz-
mittelbehälter

dipstick
der Ölmessstab

air filter
der Luftfilter

brake fluid reservoir
der Bremsflüssigkeitsbehälter

battery
die Batterie

bodywork
die Karosserie

coolant reservoir
der Kühlmittelbehälter

cylinder head
der Zylinderkopf

pipe
das Rohr

sunroof
das Schiebedach

radiator
der Kühler

engine
der Motor

fan
der Ventilator

hubcap
die Radkappe

gearbox
das Getriebe

transmission
die Transmission

driveshaft
die Kardanwelle

puncture • die Reifenpanne

spare tyre
das Ersatzrad

wrench
der Radschlüssel

wheel nuts
die Radmuttern

jack
der Wagenheber

change a wheel (v)
ein Rad wechseln

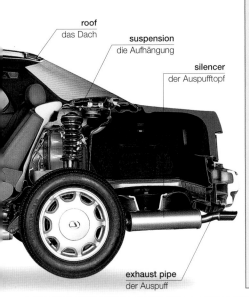

roof
das Dach

suspension
die Aufhängung

silencer
der Auspufftopf

exhaust pipe
der Auspuff

vocabulary • Vokabular

car accident
der Autounfall

cam belt
der Nockenriemen

breakdown
die Panne

turbocharger
der Turbolader

insurance
die Versicherung

idle running
der Leerlauf

tow truck
der Abschleppwagen

timing
die Einstellung

mechanic
der Mechaniker

chassis
das Chassis

tyre pressure
der Reifendruck

handbrake
die Handbremse

fuse box
der Sicherungskasten

alternator
die Lichtmaschine

spark plug
die Zündkerze

I've broken down.
Ich habe eine Panne.

fan belt
der Keilriemen

My car won't start.
Mein Auto springt
nicht an.

petrol tank
der Benzintank

distributor
der Verteiler

motorbike • das Motorrad

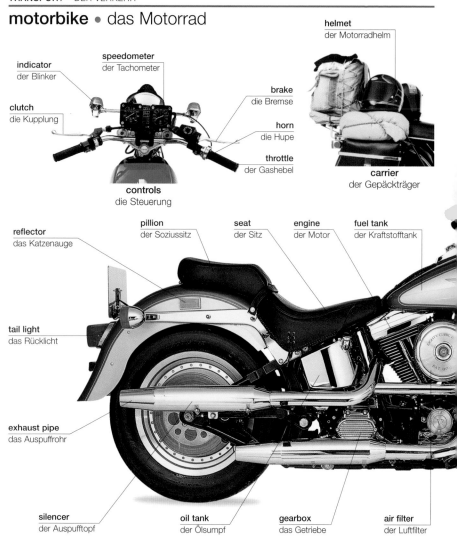

helmet
der Motorradhelm

indicator
der Blinker

speedometer
der Tachometer

clutch
die Kupplung

brake
die Bremse

horn
die Hupe

throttle
der Gashebel

controls
die Steuerung

carrier
der Gepäckträger

reflector
das Katzenauge

pillion
der Soziussitz

seat
der Sitz

engine
der Motor

fuel tank
der Kraftstofftank

tail light
das Rücklicht

exhaust pipe
das Auspuffrohr

silencer
der Auspufftopf

oil tank
der Ölsumpf

gearbox
das Getriebe

air filter
der Luftfilter

visor
das Visier

reflector strap
der Leuchtstreifen

leathers
der Lederanzug

knee pad
der Knieschützer

clothing | die Kleidung

headlight
der Scheinwerfer

suspension
die Aufhängung

mudguard
das Schutzblech

brake pedal
das Bremspedal

axle
die Achse

tyre
der Reifen

types • die Typen

racing bike | die Rennmaschine

windshield
die Windschutzscheibe

tourer | der Tourer

dirt bike | das Geländemotorrad

stand
der Motor-
radständer

scooter | der Roller

english • deutsch

205

bicycle • das Fahrrad

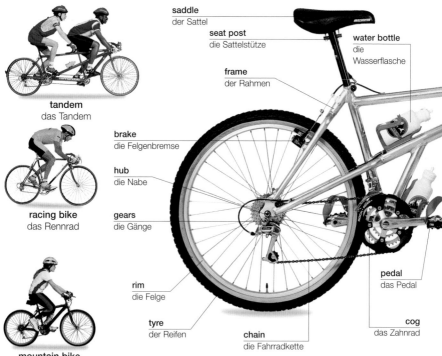

saddle
der Sattel

seat post
die Sattelstütze

water bottle
die Wasserflasche

frame
der Rahmen

brake
die Felgenbremse

hub
die Nabe

gears
die Gänge

rim
die Felge

tyre
der Reifen

chain
die Fahrradkette

pedal
das Pedal

cog
das Zahnrad

tandem
das Tandem

racing bike
das Rennrad

mountain bike
das Mountainbike

helmet
der Fahrradhelm

touring bike
das Tourenfahrrad

road bike
das Straßenrad

cycle lane | der Fahrradweg

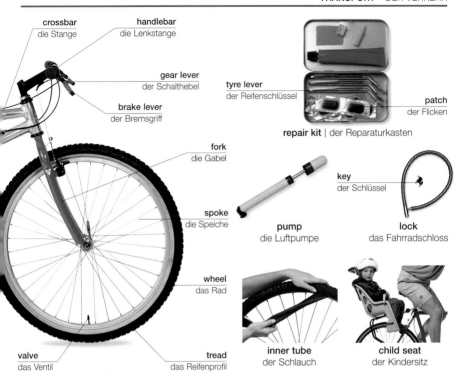

crossbar
die Stange

handlebar
die Lenkstange

gear lever
der Schalthebel

tyre lever
der Reifenschlüssel

patch
der Flicken

brake lever
der Bremsgriff

repair kit | der Reparaturkasten

fork
die Gabel

key
der Schlüssel

spoke
die Speiche

pump
die Luftpumpe

lock
das Fahrradschloss

wheel
das Rad

valve
das Ventil

tread
das Reifenprofil

inner tube
der Schlauch

child seat
der Kindersitz

---

vocabulary • Vokabular

rear light das Rücklicht	**kickstand** der Fahrradständer	**brake block** die Bremsbacke	**basket** der Korb	**toe clip** der Rennbügel	**brake (v)** bremsen
reflector der Rückstrahler	**stabilisers** die Stützräder	**cable** das Kabel	**dynamo** der Dynamo	**toe strap** der Riemen	**cycle (v)** Rad fahren
lamp die Fahrradlampe	**bike rack** der Fahrradständer	**sprocket** das Kettenzahnrad	**puncture** die Reifenpanne	**pedal (v)** treten	**change gear (v)** schalten

---

train • der Zug

carriage
der Wagen

platform
der
Bahnsteig

trolley
der
Kofferkuli

platform number
die Gleisnummer

commuter
der Pendler

train station | der Bahnhof

types of train • die Zugtypen

engine
die Lokomotive

driver's cab
der Führerstand

rail
die Schiene

steam train
die Dampflokomotive

diesel train | die Diesellokomotive

electric train
die Elektrolokomotive

high-speed train
der Hochgeschwindigkeitszug

monorail
die Einschienenbahn

underground train
die U-Bahn

tram
die Straßenbahn

freight train
der Güterzug

luggage rack
die Gepäckablage

window
das Zugfenster

track
das Gleis

door
die Tür

seat
der Sitz

compartment
das Abteil

public address system
der Lautsprecher

timetable
der Fahrplan

ticket
die Fahrkarte

ticket barrier
die Eingangssperre

dining car | der Speisewagen

concourse | die Bahnhofshalle

sleeping compartment
das Schlafabteil

vocabulary • Vokabular

rail network das Bahnnetz	underground map der U-Bahnplan	ticket office der Fahrkartenschalter	emergency lever die Notbremse
inter-city train der Intercity	delay die Verspätung	ticket inspector der Schaffner	signal das Signal
rush hour die Stoßzeit	fare der Fahrpreis	change (v) umsteigen	live rail die Strom führende Schiene

aircraft • das Flugzeug

airliner • das Verkehrsflugzeug

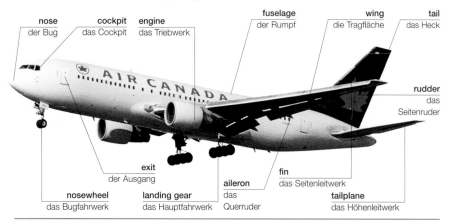

nose
der Bug

cockpit
das Cockpit

engine
das Triebwerk

fuselage
der Rumpf

wing
die Tragfläche

tail
das Heck

rudder
das Seitenruder

exit
der Ausgang

fin
das Seitenleitwerk

aileron
das Querruder

tailplane
das Höhenleitwerk

nosewheel
das Bugfahrwerk

landing gear
das Hauptfahrwerk

cabin • die Kabine

emergency exit
der Notausgang

flight attendant
die Flugbegleiterin

overhead locker
das Gepäckfach

air vent
die Luftdüse

window
das Fenster

reading light
die Leselampe

seat
der Sitz

row
die Reihe

tray-table
der Klapptisch

armrest
die Armlehne

aisle
der Gang

seat back
die Rückenlehne

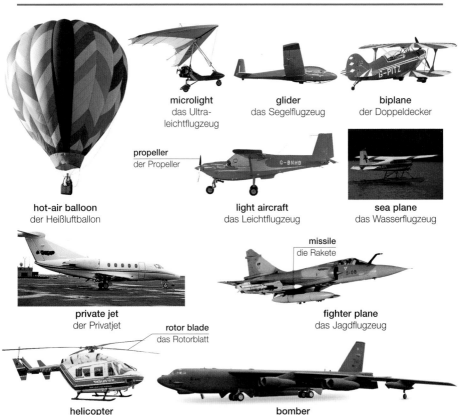

microlight
das Ultra-
leichtflugzeug

glider
das Segelflugzeug

biplane
der Doppeldecker

propeller
der Propeller

hot-air balloon
der Heißluftballon

light aircraft
das Leichtflugzeug

sea plane
das Wasserflugzeug

missile
die Rakete

private jet
der Privatjet

fighter plane
das Jagdflugzeug

rotor blade
das Rotorblatt

helicopter
der Hubschrauber

bomber
der Bomber

vocabulary • Vokabular

pilot der Pilot	**take off (v)** starten	**land (v)** landen	**economy class** die Economyclass	**hand luggage** das Handgepäck
co-pilot der Kopilot	**fly (v)** fliegen	**altitude** die Höhe	**business class** die Businessclass	**seat belt** der Sicherheitsgurt

airport • der Flughafen

apron
das Vorfeld

baggage trailer
der Gepäckanhänger

terminal
der Terminal

service vehicle
das Versorgungsfahrzeug

walkway
die Fluggastbrücke

airliner | das Verkehrsflugzeug

vocabulary • Vokabular

runway
die Start- und Landebahn

flight number
die Flugnummer

carousel
das Gepäckband

holiday
der Urlaub

international flight
der Auslandsflug

immigration
die Einwanderung

security
die Sicherheitsvorkehrungen

book a flight (v)
einen Flug buchen

domestic flight
der Inlandsflug

customs
der Zoll

X-ray machine
die Gepäckröntgenmaschine

check in (v)
einchecken

connection
die Flugverbindung

excess baggage
das Übergepäck

holiday brochure
der Urlaubsprospekt

control tower
der Kontrollturm

english • deutsch

visa
das Visum

passport | der Pass

hand luggage
das Handgepäck

luggage
das Gepäck

trolley
der Kofferkuli

check-in desk
der Abfertigungsschalter

passport control
die Passkontrolle

boarding pass
die Bordkarte

ticket
das Flugticket

gate number
die Gatenummer

departures
der Abflug

departure lounge
die Abflughalle

destination
das Reiseziel

arrivals
die Ankunft

information screen
die Fluginformationsanzeige

duty-free shop
der Duty-free-Shop

baggage reclaim
die Gepäckausgabe

taxi rank
der Taxistand

car hire
der Autoverleih

ship • das Schiff

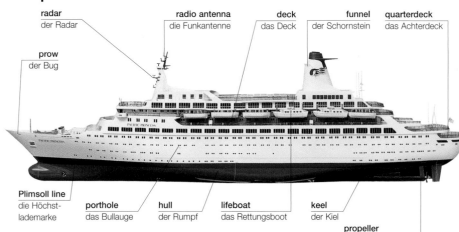

radar
der Radar

radio antenna
die Funkantenne

deck
das Deck

funnel
der Schornstein

quarterdeck
das Achterdeck

prow
der Bug

Plimsoll line
die Höchst-
lademarke

porthole
das Bullauge

hull
der Rumpf

lifeboat
das Rettungsboot

keel
der Kiel

propeller
die Schiffsschraube

ocean liner
der Ozeandampfer

bridge
die Kommandobrücke

engine room
der Maschinenraum

cabin
die Kabine

galley
die Kombüse

vocabulary • Vokabular

dock
das Dock

windlass
die Ankerwinde

port
der Hafen

captain
der Kapitän

gangway
die Landungsbrücke

speedboat
das Rennboot

anchor
der Anker

rowing boat
das Ruderboot

bollard
der Poller

canoe
das Kanu

other ships • andere Schiffe

ferry
die Fähre

outboard motor
der Außenbordmotor

inflatable dinghy
das Schlauchboot

hydrofoil
das Tragflügelboot

yacht
die Jacht

catamaran
der Katamaran

tug boat
der Schleppdampfer

hovercraft
das Luftkissenboot

container ship
das Containerschiff

rigging
die Takelung

hold
der Frachtraum

sailing ship
das Segelschiff

freighter
das Frachtschiff

oil tanker
der Öltanker

aircraft carrier
der Flugzeugträger

battleship
das Kriegsschiff

conning tower
der Kommando-
turm

submarine
das U-Boot

port • der Hafen

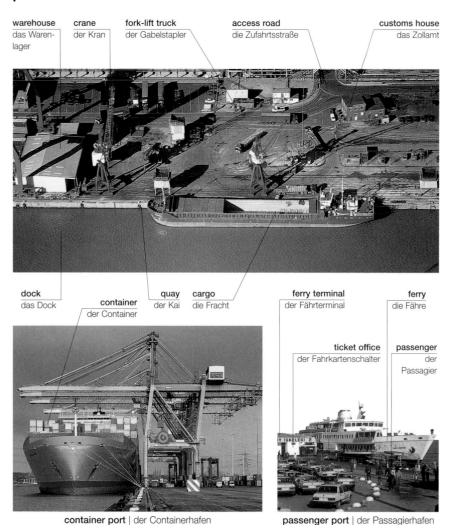

warehouse das Waren- lager	**crane** der Kran	**fork-lift truck** der Gabelstapler	**access road** die Zufahrtsstraße	**customs house** das Zollamt

dock das Dock	**container** der Container	**quay** der Kai	**cargo** die Fracht	**ferry terminal** der Fährterminal	**ferry** die Fähre

ticket office
der Fahrkartenschalter

passenger
der
Passagier

container port | der Containerhafen

passenger port | der Passagierhafen

net
das Netz

fishing boat
das Fischerboot

mooring
die Verankerung

marina
der Jachthafen

fishing port
der Fischereihafen

harbour
der Hafen

pier
der Pier

jetty
der Landungssteg

shipyard
die Werft

lamp
die Laterne

lighthouse
der Leuchtturm

buoy
die Boje

vocabulary · Vokabular

coastguard die Küstenwache	**dry dock** das Trockendock	**board (v)** an Bord gehen
harbour master der Hafenmeister	**moor (v)** festmachen	**disembark (v)** von Bord gehen
drop anchor (v) den Anker werfen	**dock (v)** anlegen	**set sail (v)** auslaufen

sports
der Sport

American football • der Football

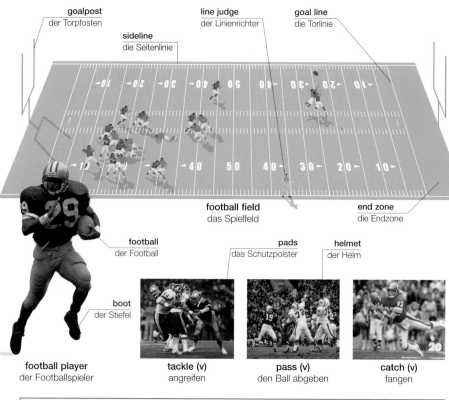

goalpost
der Torpfosten

sideline
die Seitenlinie

line judge
der Linienrichter

goal line
die Torlinie

football field
das Spielfeld

end zone
die Endzone

football
der Football

pads
das Schutzpolster

helmet
der Helm

boot
der Stiefel

football player
der Footballspieler

tackle (v)
angreifen

pass (v)
den Ball abgeben

catch (v)
fangen

---

vocabulary • Vokabular

time out die Auszeit	**team** die Mannschaft	**defence** die Verteidigung	**cheerleader** der Cheerleader	**What is the score?** Wie ist der Stand?
fumble das unsichere Fangen des Balls (Fumble)	**attack** der Angriff	**score** der Spielstand	**touchdown** der Touchdown	**Who is winning?** Wer gewinnt?

---

rugby • das Rugby

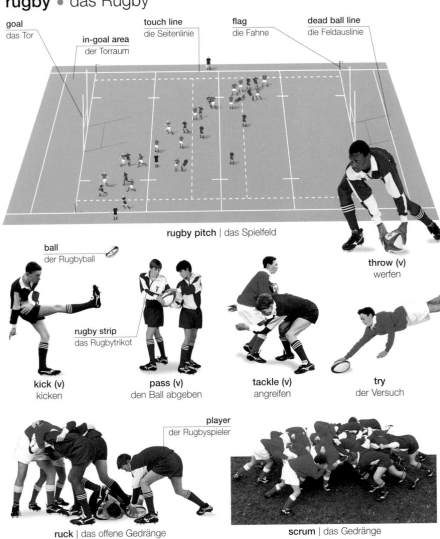

goal
das Tor

in-goal area
der Torraum

touch line
die Seitenlinie

flag
die Fahne

dead ball line
die Feldauslinie

rugby pitch | das Spielfeld

ball
der Rugbyball

throw (v)
werfen

rugby strip
das Rugbytrikot

kick (v)
kicken

pass (v)
den Ball abgeben

tackle (v)
angreifen

try
der Versuch

player
der Rugbyspieler

ruck | das offene Gedränge

scrum | das Gedränge

soccer • der Fußball

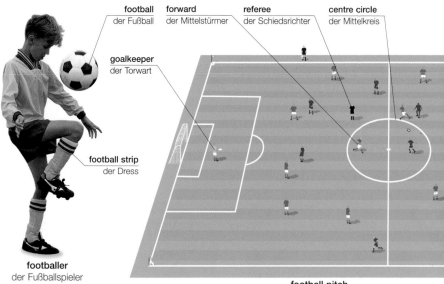

football
der Fußball

forward
der Mittelstürmer

referee
der Schiedsrichter

centre circle
der Mittelkreis

goalkeeper
der Torwart

football strip
der Dress

footballer
der Fußballspieler

football pitch
das Fußballfeld

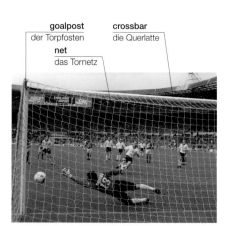

goalpost
der Torpfosten

crossbar
die Querlatte

net
das Tornetz

goal | das Tor

dribble (v) | dribbeln

head (v)
köpfen

wall
die Mauer

free kick | der Freistoß

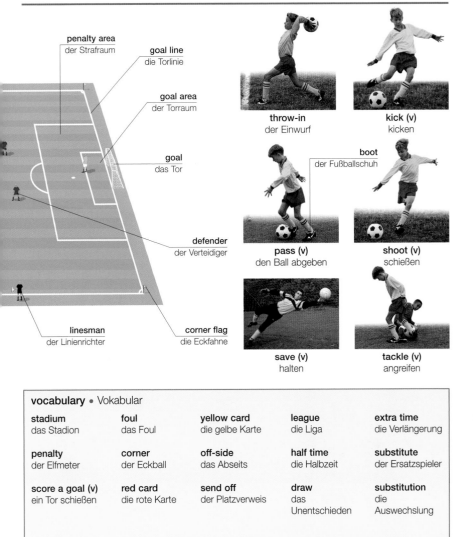

penalty area
der Strafraum

goal line
die Torlinie

goal area
der Torraum

goal
das Tor

defender
der Verteidiger

corner flag
die Eckfahne

linesman
der Linienrichter

throw-in
der Einwurf

kick (v)
kicken

boot
der Fußballschuh

pass (v)
den Ball abgeben

shoot (v)
schießen

save (v)
halten

tackle (v)
angreifen

vocabulary • Vokabular

stadium das Stadion	foul das Foul	yellow card die gelbe Karte	league die Liga	extra time die Verlängerung
penalty der Elfmeter	corner der Eckball	off-side das Abseits	half time die Halbzeit	substitute der Ersatzspieler
score a goal (v) ein Tor schießen	red card die rote Karte	send off der Platzverweis	draw das Unentschieden	substitution die Auswechslung

hockey • das Hockey

ice hockey • das Eishockey

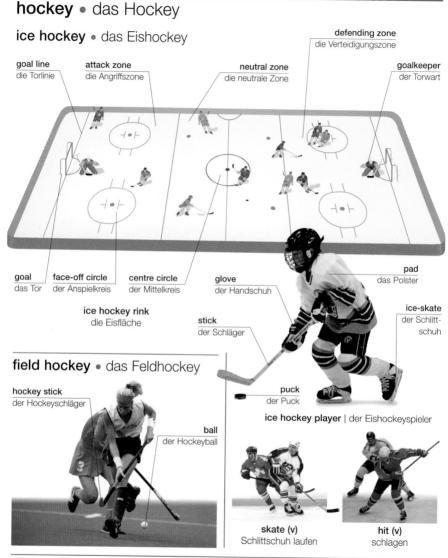

defending zone
die Verteidigungszone

goal line
die Torlinie

attack zone
die Angriffszone

neutral zone
die neutrale Zone

goalkeeper
der Torwart

goal
das Tor

face-off circle
der Anspielkreis

centre circle
der Mittelkreis

glove
der Handschuh

pad
das Polster

ice-skate
der Schlitt-
schuh

ice hockey rink
die Eisfläche

stick
der Schläger

puck
der Puck

ice hockey player | der Eishockeyspieler

field hockey • das Feldhockey

hockey stick
der Hockeyschläger

ball
der Hockeyball

skate (v)
Schlittschuh laufen

hit (v)
schlagen

cricket • das Kricket

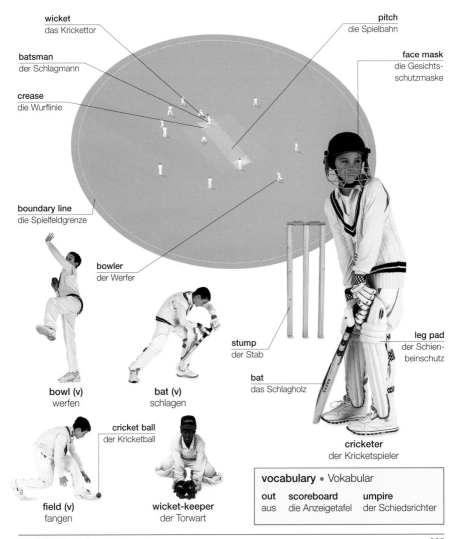

wicket
das Krickettor

pitch
die Spielbahn

batsman
der Schlagmann

face mask
die Gesichts-
schutzmaske

crease
die Wurflinie

boundary line
die Spielfeldgrenze

bowler
der Werfer

stump
der Stab

leg pad
der Schien-
beinschutz

bat
das Schlagholz

bowl (v)
werfen

bat (v)
schlagen

cricket ball
der Kricketball

cricketer
der Kricketspieler

field (v)
fangen

wicket-keeper
der Torwart

vocabulary • Vokabular		
out	**scoreboard**	**umpire**
aus	die Anzeigetafel	der Schiedsrichter

basketball • der Basketball

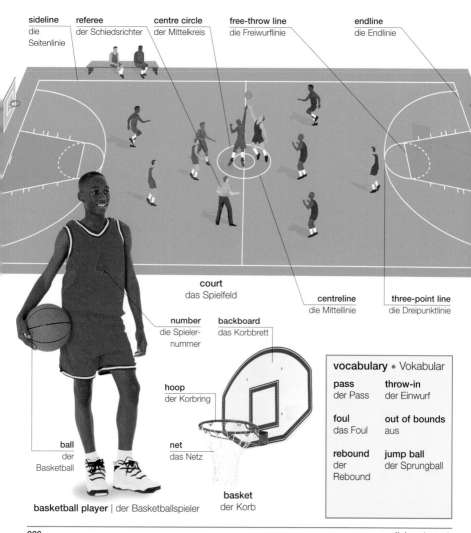

sideline
die Seitenlinie

referee
der Schiedsrichter

centre circle
der Mittelkreis

free-throw line
die Freiwurflinie

endline
die Endlinie

court
das Spielfeld

centreline
die Mittellinie

three-point line
die Dreipunktlinie

number
die Spieler-nummer

backboard
das Korbbrett

hoop
der Korbring

ball
der Basketball

net
das Netz

basket
der Korb

basketball player | der Basketballspieler

vocabulary • Vokabular

pass
der Pass

throw-in
der Einwurf

foul
das Foul

out of bounds
aus

rebound
der Rebound

jump ball
der Sprungball

actions • die Aktionen

throw (v)
werfen

catch (v)
fangen

shoot (v)
zielen

jump (v)
springen

mark (v)
decken

block (v)
blocken

bounce (v)
dribbeln

dunk (v)
einen Dunk spielen

volleyball • der Volleyball

block (v)
blocken

net
das Netz

dig (v)
baggern

referee
der
Schiedsrichter

knee support
der Knieschützer

das Spielfeld | **court**

baseball • der Baseball

field • das Spielfeld

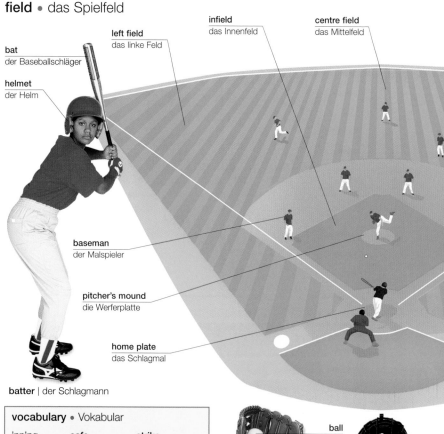

infield
das Innenfeld

centre field
das Mittelfeld

left field
das linke Feld

bat
der Baseballschläger

helmet
der Helm

baseman
der Malspieler

pitcher's mound
die Werferplatte

home plate
das Schlagmal

batter | der Schlagmann

---

vocabulary • Vokabular

inning das Inning	**safe** in Sicherheit	**strike** der Schlagfehler
run der Lauf	**out** aus	**foul ball** der ungültige Schlag

ball
der Baseball

mitt
der Handschuh

mask
die Schutzmaske

actions • die Aktionen

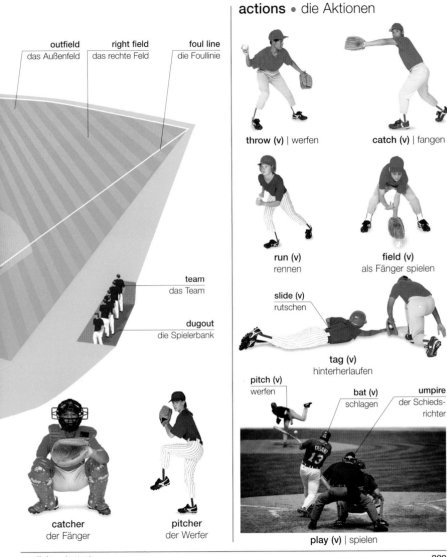

outfield
das Außenfeld

right field
das rechte Feld

foul line
die Foullinie

team
das Team

dugout
die Spielerbank

throw (v) | werfen

catch (v) | fangen

run (v)
rennen

field (v)
als Fänger spielen

slide (v)
rutschen

tag (v)
hinterherlaufen

pitch (v)
werfen

bat (v)
schlagen

umpire
der Schieds-
richter

catcher
der Fänger

pitcher
der Werfer

play (v) | spielen

tennis • das Tennis

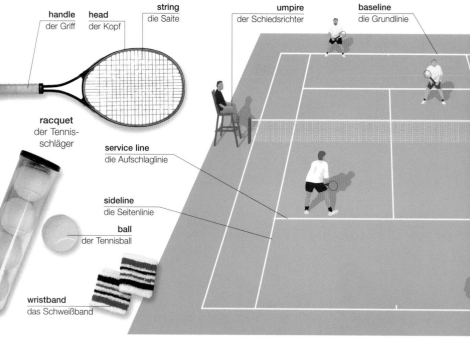

handle
der Griff

head
der Kopf

string
die Saite

umpire
der Schiedsrichter

baseline
die Grundlinie

racquet
der Tennis-
schläger

service line
die Aufschlaglinie

sideline
die Seitenlinie

ball
der Tennisball

wristband
das Schweißband

tennis court | der Tennisplatz

---

vocabulary • Vokabular

singles das Einzel	**set** der Satz	**deuce** der Einstand	**fault** der Fehler	**slice** der Slice	**spin** der Spin
doubles das Doppel	**match** das Match	**advantage** der Vorteil	**ace** das Ass	**rally** der Ballwechsel	**linesman** der Linienrichter
game das Spiel	**tiebreak** der Tiebreak	**love** null	**dropshot** der Stoppball	**let!** Netz!	**championship** die Meisterschaft

strokes • die Schläge

net
das Netz

smash
der Schmetterball

ballboy
der Balljunge

serve (v)
aufschlagen

tennis shoes
die Tennis-
schuhe

player
der Tennisspieler

serve
der Aufschlag

volley
der Volley

return
der Return

lob
der Lob

forehand
die Vorhand

backhand
die Rückhand

racquet games • die Schlägerspiele

shuttlecock
der Federball

bat
der Tischten-
nisschläger

badminton
das Badminton

table tennis
das Tischtennis

squash
das Squash

racquetball
das Racquetball

golf • das Golf

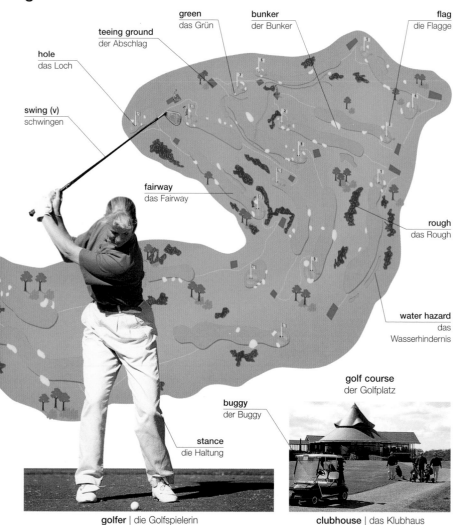

green
das Grün

teeing ground
der Abschlag

bunker
der Bunker

flag
die Flagge

hole
das Loch

swing (v)
schwingen

fairway
das Fairway

rough
das Rough

water hazard
das
Wasserhindernis

golf course
der Golfplatz

buggy
der Buggy

stance
die Haltung

golfer | die Golfspielerin

clubhouse | das Klubhaus

equipment • die Ausrüstung

golf ball
der Golfball

golf bag
die Golftasche

tee
das Tee

spikes
die Spikes

glove
der Handschuh

golf trolley
der Trolley

golf shoe
der Golfschuh

golf clubs • die Golf-schläger

wood
das Holz

putter
der Putter

iron
das Eisen

wedge
das Wedge

actions • die Aktionen

tee-off (v)
vom Abschlag
spielen

drive (v)
driven

putt (v)
einlochen

chip (v)
chippen

vocabulary • Vokabular

par das Par	**over par** über Par	**tournament** das Golfturnier	**caddy** der Caddie	**spectators** die Zuschauer	**practice swing** der Übungsschwung
under par unter Par	**hole in one** das Hole-in-One	**handicap** das Handicap	**stroke** der Schlag	**line of play** die Spielbahn	**backswing** der Durchschwung

athletics • die Leichtathletik

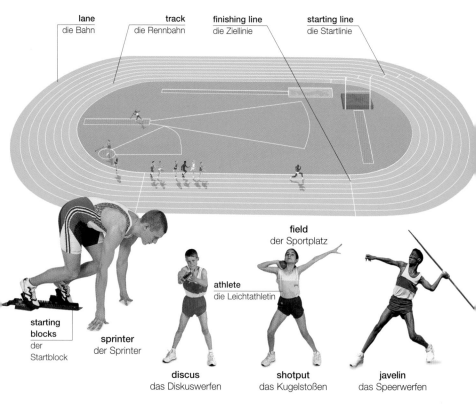

lane
die Bahn

track
die Rennbahn

finishing line
die Ziellinie

starting line
die Startlinie

field
der Sportplatz

athlete
die Leichtathletin

starting blocks
der Startblock

sprinter
der Sprinter

discus
das Diskuswerfen

shotput
das Kugelstoßen

javelin
das Speerwerfen

vocabulary • Vokabular

race das Rennen	**record** der Rekord	**photo finish** das Fotofinish	**pole vault** der Stabhochsprung
time die Zeit	**break a record (v)** einen Rekord brechen	**marathon** der Marathon	**personal best** die persönliche Bestleistung

stopwatch
die Stoppuhr

baton
der Stab

relay race
der Staffellauf

crossbar
die Latte

high jump
der Hochsprung

long jump
der Weitsprung

hurdles
der Hürdenlauf

gymnastics • das Turnen

springboard
das Sprungbrett

horse
das Pferd

somersault
der Salto

gymnast
die Turnerin

beam
der Schwebebalken

ribbon
das Gymnastikband

mat
die Matte

vault
der Sprung

floor exercises
das Bodenturnen

tumble
die Bodenakrobatik

rhythmic gymnastics
die rhythmische
Gymnastik

---

vocabulary • Vokabular

horizontal bar das Reck	**asymmetric bars** der Stufenbarren	**rings** die Ringe	**medals** die Medaillen	**silver** das Silber
parallel bars der Barren	**pommel horse** das Seitpferd	**podium** das Siegerpodium	**gold** das Gold	**bronze** die Bronze

---

combat sports • der Kampfsport

opponent
der Gegner

guard
der Kopfschutz

glove
der Handschuh

belt
der Gürtel

karate
das Karate

tae-kwon-do
das Taekwondo

mask
die Maske

judo
das Judo

sword
der Säbel

aikido
das Aikido

kendo
das Kendo

kung fu
das Kung-Fu

kickboxing
das Kickboxen

wrestling
das Ringen

boxing
das Boxen

actions • die Techniken

fall
das Fallen

hold
der Griff

throw
der Wurf

pin
das Fesseln

kick
der Seitfußstoß

punch
der Stoß

strike
der Angriff

jump
der Sprung

block
der Block

chop
der Hieb

vocabulary • Vokabular

boxing ring der Boxring	**round** die Runde	**fist** die Faust	**black belt** der schwarze Gürtel	**capoeira** die Capoeira
boxing gloves die Boxhandschuhe	**bout** der Kampf	**punch bag** der Sandsack	**self defence** die Selbstverteidigung	**tai-chi** das Tai-Chi
mouth guard der Mundschutz	**sparring** das Sparring	**knock out** der Knock-out	**martial arts** die Kampfsportarten	**sumo wrestling** das Sumo

swimming • der Schwimmsport
equipment • die Ausrüstung

armband
der
Schwimmflügel

goggles
die Schwimmbrille

nose clip
die Nasenklemme

float
das Schwimmbrett

swimsuit
der Badeanzug

cap
die Badekappe

lane
die Bahn

water
das Wasser

starting block
der Startblock

trunks
die Badehose

swimming pool
das Schwimmbecken

swimmer | der Schwimmer

springboard
das Sprungbrett

diver
der Springer

dive (v) | springen

swim (v) | schwimmen

turn | die Wende

styles • die Schwimmstile

front crawl
das Kraulen

breaststroke
das Brustschwimmen

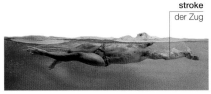

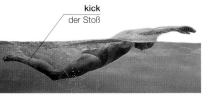

stroke
der Zug

kick
der Stoß

backstroke | das Rückenschwimmen

butterfly | der Schmetterling

scuba diving • das Tauchen

air cylinder
die Druckluftflasche

wetsuit
der Taucheranzug

mask
die Tauchermaske

flipper
die Schwimmflosse

regulator
der Lungenautomat

weight belt
der Bleigürtel

snorkel
der Schnorchel

vocabulary • Vokabular

dive der Sprung	**racing dive** der Startsprung	**lockers** die Schließfächer	**water polo** der Wasserball	**shallow end** das flache Ende	**cramp** der Krampf
high dive der Turmsprung	**tread water (v)** Wasser treten	**lifeguard** der Bademeister	**deep end** das tiefe Ende	**synchronized swimming** das Synchronschwimmen	**drown (v)** ertrinken

sailing • der Segelsport

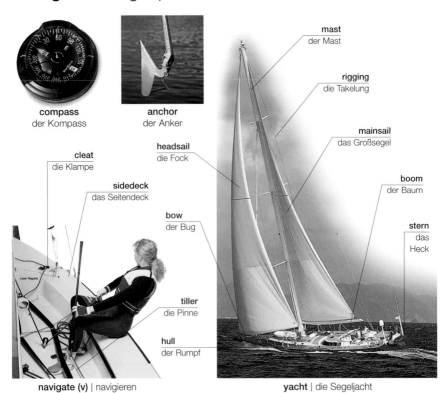

compass
der Kompass

anchor
der Anker

mast
der Mast

rigging
die Takelung

mainsail
das Großsegel

boom
der Baum

stern
das Heck

headsail
die Fock

cleat
die Klampe

sidedeck
das Seitendeck

bow
der Bug

tiller
die Pinne

hull
der Rumpf

navigate (v) | navigieren

yacht | die Segeljacht

safety • die Sicherheit

flare
die Leuchtrakete

lifebuoy
der Rettungsring

life jacket
die Schwimmweste

life raft
das Rettungsboot

watersports • der Wassersport

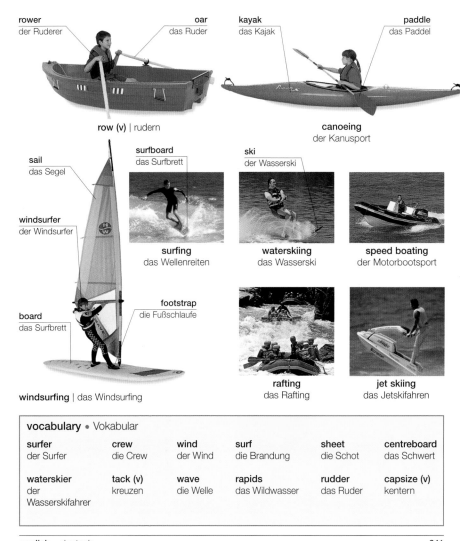

rower
der Ruderer

oar
das Ruder

kayak
das Kajak

paddle
das Paddel

row (v) | rudern

canoeing
der Kanusport

sail
das Segel

surfboard
das Surfbrett

ski
der Wasserski

windsurfer
der Windsurfer

surfing
das Wellenreiten

waterskiing
das Wasserski

speed boating
der Motorbootsport

footstrap
die Fußschlaufe

board
das Surfbrett

rafting
das Rafting

jet skiing
das Jetskifahren

windsurfing | das Windsurfing

vocabulary • Vokabular

surfer der Surfer	**crew** die Crew	**wind** der Wind	**surf** die Brandung	**sheet** die Schot	**centreboard** das Schwert
waterskier der Wasserskifahrer	**tack (v)** kreuzen	**wave** die Welle	**rapids** das Wildwasser	**rudder** das Ruder	**capsize (v)** kentern

horse riding • der Reitsport

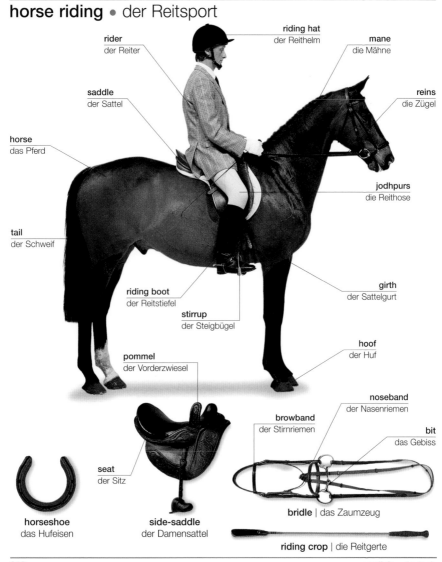

rider
der Reiter

riding hat
der Reithelm

mane
die Mähne

saddle
der Sattel

reins
die Zügel

horse
das Pferd

jodhpurs
die Reithose

tail
der Schweif

girth
der Sattelgurt

riding boot
der Reitstiefel

stirrup
der Steigbügel

hoof
der Huf

pommel
der Vorderzwiesel

noseband
der Nasenriemen

browband
der Stirnriemen

bit
das Gebiss

seat
der Sitz

bridle | das Zaumzeug

horseshoe
das Hufeisen

side-saddle
der Damensattel

riding crop | die Reitgerte

english • deutsch

events • die Veranstaltungen

racehorse
das Rennpferd

fence
das Hindernis

horse race
das Pferderennen

steeplechase
das Jagdrennen

harness race
das Trabrennen

rodeo
das Rodeo

showjumping
das Springreiten

carriage race
das Zweispännerrennen

trekking
das Wanderreiten

dressage
das Dressurreiten

polo
das Polo

vocabulary • Vokabular

walk der Schritt	**canter** der Kanter	**jump** der Sprung	**halter** das Halfter	**paddock** die Koppel	**flat race** das Flachrennen
trot der Trab	**gallop** der Galopp	**groom** der Stallbursche	**stable** der Pferdestall	**arena** der Turnierplatz	**racecourse** die Rennbahn

fishing • der Angelsport

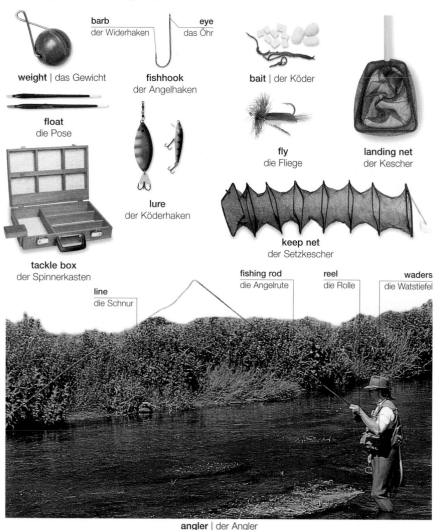

weight | das Gewicht

barb
der Widerhaken

eye
das Öhr

fishhook
der Angelhaken

bait | der Köder

float
die Pose

lure
der Köderhaken

fly
die Fliege

landing net
der Kescher

tackle box
der Spinnerkasten

keep net
der Setzkescher

line
die Schnur

fishing rod
die Angelrute

reel
die Rolle

waders
die Watstiefel

angler | der Angler

types of fishing • die Fischfangarten

freshwater fishing
das Süßwasserangeln

fly fishing
das Fliegenangeln

sport fishing
das Sportangeln

deep sea fishing
die Hochseefischerei

surfcasting
das Brandungsangeln

activities • die Aktivitäten

cast (v)
auswerfen

catch (v)
fangen

reel in (v)
einholen

net (v)
mit dem Netz fangen

release (v)
loslassen

vocabulary • Vokabular

bait (v) ködern	**tackle** die Angelgeräte	**waterproofs** die Regenhaut	**fishing permit** der Angelschein	**creel** der Fischkorb
bite (v) anbeißen	**spool** die Rolle	**pole** die Stake	**marine fishing** die Seefischerei	**spearfishing** das Speerfischen

skiing • der Skisport

ski slope
der Skihang

chairlift
der Sessellift

cable car
der Kabinenlift

les 3 vallées

glove
der Handschuh

ski run
die Skipiste

ski pole
der Skistock

ski boot
der Skistiefel

ski jacket
die Skijacke

edge
die Kante

tip
die Spitze

ski
der Ski

safety barrier
die Sicherheitssperre

skier
die Skiläuferin

events • die Disziplinen

gate
das Tor

downhill skiing
der Abfahrtslauf

slalom
der Slalom

ski jump
der Skisprung

cross-country skiing
der Langlauf

winter sports • der Wintersport

goggles
die Skibrille

skate
der Schlittschuh

ice climbing
das Eisklettern

ice-skating
das Eislaufen

figure skating
der Eiskunstlauf

snowboarding
das Snowboarding

bobsleigh
der Bobsport

luge
das Rennrodeln

---

vocabulary • Vokabular

alpine skiing die alpine Kombination	**dog sledding** das Hundeschlittenfahren
giant slalom der Riesenslalom	**speed skating** der Eisschnelllauf
off-piste abseits der Piste	**biathlon** das Biathlon
curling das Curling	**avalanche** die Lawine

snowmobile
das Schneemobil

sledding
das Schlittenfahren

---

english • deutsch

other sports • die anderen Sportarten

glider
das Segelflugzeug

hang-glider
der Drachen

gliding
das Segelfliegen

hang-gliding
das Drachenfliegen

rope
das Seil

parachute
der Fallschirm

rock climbing
das Klettern

parachuting
das Fallschirmspringen

paragliding
das Gleitschirmfliegen

skydiving
das Fallschirmspringen

abseiling
das Abseilen

bungee jumping
das Bungeejumping

racing driver
der Rennfahrer

rally driving
das Rallyefahren

motor racing
der Rennsport

motorcross
das Motocross

motorbike racing
das Motorradrennen

skateboard
das Skateboard

stick
der Lacrosseschläger

foil
das Florett

mask
die Maske

skateboarding
das Skateboardfahren

inline skating
das Inlineskaten

lacrosse
das Lacrosse

fencing
das Fechten

pin
der Kegel

bow
der Bogen

target
die Zielscheibe

arrow
der Pfeil

quiver
der Köcher

archery
das Bogenschießen

target shooting
das Scheibenschießen

bowling ball
die Bowlingkugel

bowling
das Bowling

pool
das Poolbillard

snooker
das Snooker

fitness • die Fitness

exercise bike
das Trainingsrad

gym machine
das Fitnessgerät

bench
die Bank

free weights
die Gewichte

bar
die Stange

gym
das Fitnesscenter

rowing machine
die Rudermaschine

treadmill
das Laufband

cross trainer
der Crosstrainer

personal trainer
die private
Fitnesstrainerin

step machine
der Stepper

swimming pool
das Schwimmbecken

sauna
die Sauna

exercises • die Übungen

stretch
das Strecken

lunge
der Ausfallschritt

tights
die Gym-
nastikhose

press-up
der Liegestütz

dumb bell
die Hantel

squat
die Kniebeuge

sit-up
das Rumpfheben

bicep curl
die Bizepsübung

leg press
der Beinstütz

weight bar
die Gewicht-
stange

trainers
die Sport-
schuhe

chest press
die Brustübung

weight training
das Krafttraining

jogging
das Jogging

pilates
das Pilates

---

vocabulary • Vokabular

train (v) trainieren	**jog on the spot (v)** auf der Stelle joggen	**extend (v)** ausstrecken	**boxercise** die Boxgymnastik	**skipping** das Seilspringen
warm up (v) sich aufwärmen	**flex (v)** beugen	**pull up (v)** hochziehen	**circuit training** das Zirkeltraining	

leisure
die Freizeit

theatre • das Theater

curtain
der Vorhang

wings
die Kulisse

set
das Bühnenbild

audience
das Publikum

orchestra
das Orchester

stage | die Bühne

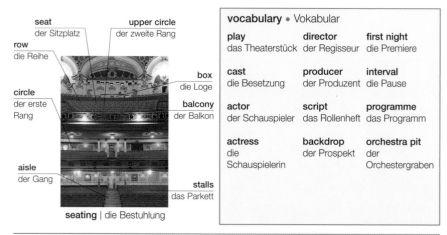

seat
der Sitzplatz

upper circle
der zweite Rang

row
die Reihe

box
die Loge

circle
der erste
Rang

balcony
der Balkon

aisle
der Gang

stalls
das Parkett

seating | die Bestuhlung

vocabulary • Vokabular

play das Theaterstück	**director** der Regisseur	**first night** die Premiere
cast die Besetzung	**producer** der Produzent	**interval** die Pause
actor der Schauspieler	**script** das Rollenheft	**programme** das Programm
actress die Schauspielerin	**backdrop** der Prospekt	**orchestra pit** der Orchestergraben

concert
das Konzert

musical
das Musical

costume
das Theaterkostüm

ballet
das Ballett

opera
die Oper

vocabulary • Vokabular

usher
der Platzanweiser

classical music
die klassische Musik

musical score
die Noten

applaud (v)
applaudieren

encore
die Zugabe

soundtrack
der Soundtrack

I'd like two tickets for tonight's performance.
Ich möchte zwei Karten für die Aufführung heute Abend.

What time does it start?
Um wie viel Uhr beginnt die Aufführung?

cinema • das Kino

popcorn
das Popcorn

box office
die Kasse

lobby
das Foyer

poster
das Plakat

cinema hall
der Kinosaal

screen
die Leinwand

vocabulary • Vokabular

comedy
die Komödie

thriller
der Thriller

horror film
der Horrorfilm

western
der Western

romance
der Liebesfilm

science fiction film
der Science-Fiction-Film

adventure
der Abenteuerfilm

animated film
der Zeichentrickfilm

orchestra • das Orchester

strings • die Saiteninstrumente

harp
die Harfe

conductor
der Dirigent

double bass
der Kontrabass

violin
die Geige

podium
das Podium

viola
die Bratsche

cello
das Cello

score
die Noten

treble clef
der Violinschlüssel

staff
das Liniensystem

note
die Note

bass clef
der Bassschlüssel

Andante

rit.

piano | das Klavier

notation | die Notation

vocabulary • Vokabular

overture	sonata	pitch	sharp	bar	scale
die Ouvertüre	die Sonate	die Tonhöhe	das Kreuz	der Taktstrich	die Tonleiter
symphony	instruments	rest	flat	natural	baton
die Symphonie	die Musikinstrumente	das Pausenzeichen	das B	das Auflösungszeichen	der Taktstock

woodwind • die Holzblasinstrumente

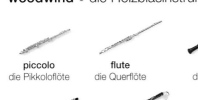

piccolo
die Pikkoloflöte

flute
die Querflöte

oboe
die Oboe

cor anglais
das Englischhorn

clarinet
die Klarinette

bass clarinet
die Bassklarinette

bassoon
das Fagott

double bassoon
das Kontrafagott

saxophone
das Saxofon

percussion • die Schlaginstrumente

vibraphone
das Vibrafon

bongos
die Bongos

snare drum
die kleine Trommel

kettledrum
die Kesselpauke

gong
der Gong

triangle
der Triangel

maracas
die Maracas

cymbals
das Becken

tambourine
das Tamburin

foot pedal
das Fußpedal

brass • die Blechblasinstrumente

trumpet
die Trompete

trombone
die Posaune

French horn
das Horn

tuba
die Tuba

concert • das Konzert

speaker
der Lautsprecher

fans
die Fans

lead singer
der Leadsänger

microphone
das Mikrofon

guitarist
der Gitarrist

drummer
der Schlagzeuger

rock concert | das Rockkonzert

instruments • die Instrumente

pickup
der Tonabnehmer

neck
der Hals

fret
der Bund

tuning peg
der Wirbel

string
die Saite

bridge
der Steg

drum
die Trommel

bass guitar
die Bassgitarre

keyboard
das Keyboard

electric guitar
die elektrische Gitarre

drum kit
das Schlagzeug

musical styles • die Musikstile

jazz
der Jazz

blues
der Blues

punk
der Punk

folk music
der Folk

pop
die Popmusik

dance
die Tanzmusik

rap
der Rap

heavy metal
das Heavy Metal

classical music
die klassische Musik

vocabulary • Vokabular

song	lyrics	melody	beat	reggae	country	spotlight
das Lied	der Text	die Melodie	der Beat	der Reggae	die Countrymusik	der Scheinwerfer

sightseeing • die Besichtigungstour

itinerary
die Route

open-top
mit offenem Oberdeck

tourist
der Tourist

tour bus | der Stadtrundfahrtbus

tourist attraction | die Touristenattraktion

tour guide
der Fremdenführer

statuette
die Figur

guided tour
die Führung

souvenirs
die Andenken

---

vocabulary • Vokabular

open geöffnet	**guide book** der Reiseführer	**camcorder** der Camcorder	**left** links	**Where is…?** Wo ist…?
closed geschlossen	**film** der Film	**camera** die Kamera	**right** rechts	**I'm lost.** Ich habe mich verlaufen.
entrance fee das Eintrittsgeld	**batteries** die Batterien	**directions** die Richtungs-angaben	**straight on** geradeaus	**Can you tell me the way to….?** Können Sie mir sagen, wie ich nach… komme?

---

attractions • die Sehenswürdigkeiten

painting
das Gemälde

exhibit
das Ausstellungs-
stück

exhibition
die Ausstellung

famous ruin
die berühmte
Ruine

art gallery
die Kunstgalerie

monument
das Monument

museum
das Museum

historic building
das historische
Gebäude

casino
das Kasino

gardens
der Park

national park
der Nationalpark

information • die Information

times
die Zeiten

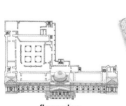

floor plan
der Grundriss

map
der Stadtplan

timetable
der Fahrplan

tourist information
die Touristen-
information

outdoor activities • die Aktivitäten im Freien

footpath
der Fußweg

sundial
die Sonnenuhr

café
das Café

park | der Park

grass
das Gras

bench
die Bank

formal gardens
die Gartenanlagen

roller coaster
die Achterbahn

fairground
der Jahrmarkt

theme park
der Vergnügungspark

safari park
der Safaripark

zoo
der Zoo

activites • die Aktivitäten

cycling
das Radfahren

jogging
das Jogging

skateboarding
das Skateboardfahren

rollerblading
das Inlinerfahren

bridle path
der Reitweg

hamper
der Pick-
nickkorb

bird watching
die Vogelbeobachtung

horse riding
das Reiten

hiking
das Wandern

picnic
das Picknick

playground • der Spielplatz

sandpit
der Sandkasten

paddling pool
das Planschbecken

swings
die Schaukel

seesaw | die Wippe

slide
die Rutsche

climbing frame
das Klettergerüst

beach • der Strand

beach umbrella
der Sonnenschirm

hotel
das Hotel

beach hut
das Strandhäuschen

sand
der Sand

wave
die Welle

sea
das Meer

beach bag
die Strandtasche

bikini
der Bikini

sunbathe (v) | sonnenbaden

lifeguard
der Rettungsschwimmer

lifeguard tower
der Rettungsturm

windbreak
der Windschutz

promenade
die Promenade

deck chair
der Liegestuhl

sunglasses
die Sonnenbrille

sunhat
der Sonnenhut

suntan lotion
die Sonnenmilch

sunblock
der Sonnenblocker

beach ball
der Wasserball

rubber ring
der Schwimmreifen

swimsuit
der Badeanzug

spade
die Schaufel

bucket
der Eimer

sandcastle
die Sandburg

shell
die Muschel

beach towel
das Strandtuch

camping • das Camping

toilets
die Toiletten

waste disposal
die Mülleimer

shower block
die Duschen

electric hook-up
der Stromanschluss

flysheet
das Überdach

tent peg
der Hering

guy rope
die Zeltspannleine

caravan
der Wohnwagen

campsite
der Campingplatz

---

vocabulary • Vokabular

camp (v) zelten	**pitch** der Zeltplatz	**picnic bench** die Picknickbank	**charcoal** die Holzkohle
site manager's office die Campingplatzverwaltung	**pitch a tent (v)** ein Zelt aufschlagen	**hammock** die Hängematte	**firelighter** der Feueranzünder
pitches available Zeltplätze frei	**tent pole** die Zeltstange	**camper van** das Wohnmobil	**light a fire (v)** ein Feuer machen
full voll	**camp bed** das Faltbett	**trailer** der Anhänger	**campfire** das Lagerfeuer

---

frame
das Gestänge

ground sheet
der Zeltboden

backpack
der Rucksack

vacuum flask
die Thermos-
flasche

water bottle
die Wasserflasche

tent | das Zelt

insect repellent
das Insektenspray

torch
die Taschenlampe

mosquito net
das Moskitonetz

thermals
die Thermowäsche

walking boots
die Wanderschuhe

waterproofs
die Regenhaut

sleeping bag
der Schlafsack

camping stove
der Gasbrenner

barbecue
der Grill

sleeping mat
die Schlafmatte

air mattress | die Luftmatratze

home entertainment • die Unterhaltungselektronik

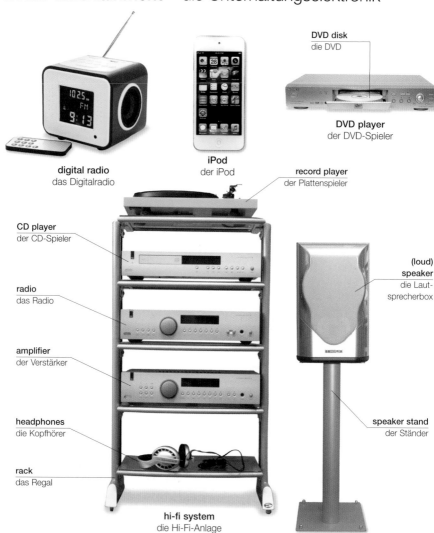

DVD disk
die DVD

DVD player
der DVD-Spieler

iPod
der iPod

digital radio
das Digitalradio

record player
der Plattenspieler

CD player
der CD-Spieler

radio
das Radio

amplifier
der Verstärker

headphones
die Kopfhörer

rack
das Regal

(loud) speaker
die Laut-sprecherbox

speaker stand
der Ständer

hi-fi system
die Hi-Fi-Anlage

digital box
die Digitale Box

screen
der Bildschirm

eyecup
das Okular

camcorder
der Camcorder

satellite dish
die Satellitenschüssel

flatscreen TV
der Flachbildfernseher

console
die Spiel-
konsole

fast forward
der Vorlauf

pause
die Pause

record
die Aufnahme

volume
die Lautstärke

rewind
der Rücklauf

stop
der Stop

controller
der Controller

play
das Abspielen

remote control
die Fernbedienung

video game | das Videospiel

---

vocabulary • Vokabular

compact disc die CD	**feature film** der Spielfilm	**cable television** das Kabelfernsehen	**stereo** stereo	**watch television (v)** fernsehen
cassette tape die Kassette	**advertisement** die Werbung	**programme** das Programm	**change channel (v)** den Kanal wechseln	**tune the radio (v)** das Radio einstellen
cassette player der Kassetten-rekorder	**digital** digital	**turn the television on (v)** den Fernseher einschalten	**pay per view channel** der Pay-Kanal	**turn the television off (v)** den Fernseher abschalten
high-definition hochauflösend	**streaming** das Streaming		**wifi** WLAN	

photography • die Fotografie

shutter release
der Auslöser

aperture dial
der Blendenregler

lens
die Linse

SLR camera | die Spiegelreflexkamera

filter
der Filter

lens cap
die Schutzkappe

flash gun
der Elektronenblitz

lightmeter
der Belichtungsmesser

zoom lens
das Wechselobjektiv

tripod
das Stativ

types of camera • die Fotoapparattypen

flash
der Blitz

Polaroid camera
die Polaroidkamera

digital camera
die Digitalkamera

cameraphone
das Kamerahandy

disposable camera
die Einwegkamera

photograph (v) • fotografieren

film
der Film

focus (v)
einstellen

develop (v)
entwickeln

negative
das Negativ

landscape
quer

portrait
hoch

photograph | das Foto

photo album
das Fotoalbum

photo frame
der Fotorahmen

problems • die Probleme

underexposed
unterbelichtet

overexposed
überbelichtet

out of focus
unscharf

red eye
die roten Augen

vocabulary • Vokabular

viewfinder
der Bildsucher

print
der Abzug

camera case
die Kameratasche

matte
matt

exposure
die Belichtung

gloss
hochglanz

darkroom
die Dunkelkammer

enlargement
die Vergrößerung

I'd like this film processed
Könnten Sie diesen Film entwickeln lassen?

games • die Spiele

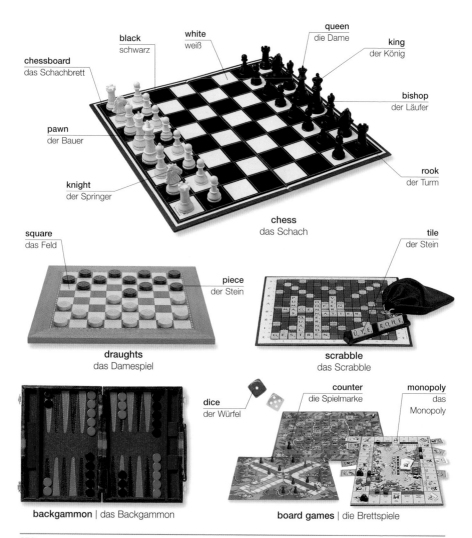

black
schwarz

white
weiß

queen
die Dame

king
der König

chessboard
das Schachbrett

bishop
der Läufer

pawn
der Bauer

rook
der Turm

knight
der Springer

chess
das Schach

square
das Feld

tile
der Stein

piece
der Stein

draughts
das Damespiel

scrabble
das Scrabble

dice
der Würfel

counter
die Spielmarke

monopoly
das Monopoly

backgammon | das Backgammon

board games | die Brettspiele

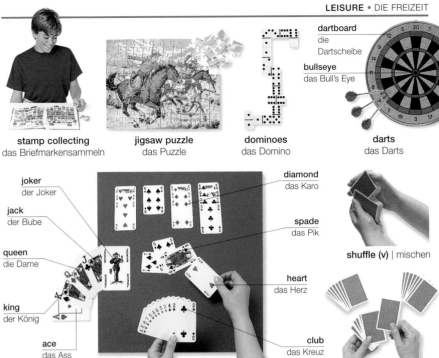

stamp collecting
das Briefmarkensammeln

jigsaw puzzle
das Puzzle

dominoes
das Domino

dartboard
die Dartscheibe

bullseye
das Bull's Eye

darts
das Darts

joker
der Joker

jack
der Bube

queen
die Dame

king
der König

ace
das Ass

diamond
das Karo

spade
das Pik

heart
das Herz

club
das Kreuz

cards
die Karten

shuffle (v) | mischen

deal (v) | geben

vocabulary • Vokabular

move der Zug	**win (v)** gewinnen	**loser** der Verlierer	**point** der Punkt	**bridge** das Bridge	**Whose turn is it?** Wer ist dran?
play (v) spielen	**winner** der Gewinner	**game** das Spiel	**score** das Spielergebnis	**pack of cards** das Kartenspiel	**It's your move.** Du bist dran.
player der Spieler	**lose (v)** verlieren	**bet** die Wette	**poker** das Poker	**suit** die Farbe	**Roll the dice.** Würfle.

arts and crafts 1 • das Kunsthandwerk1

artist
die Künstlerin

painting
das Gemälde

easel
die Staffelei

canvas
die Leinwand

brush
der Pinsel

palette
die Palette

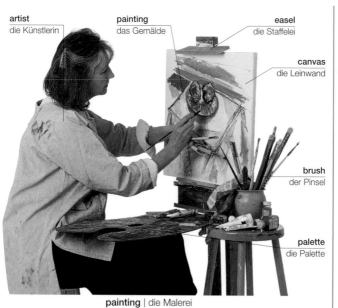

painting | die Malerei

paints • die Farben

oil paints
die Ölfarben

watercolour paint
die Aquarellfarbe

pastels
die Pastellstifte

acrylic paint
die Acrylfarbe

poster paint
die Plakatfarbe

colours • die Farben

red rot	**blue** blau	**yellow** gelb	**green** grün
orange orange	**purple** lila	**white** weiß	**black** schwarz
grey grau	**pink** rosa	**brown** braun	**indigo** indigoblau

other crafts • andere Kunstfertigkeiten

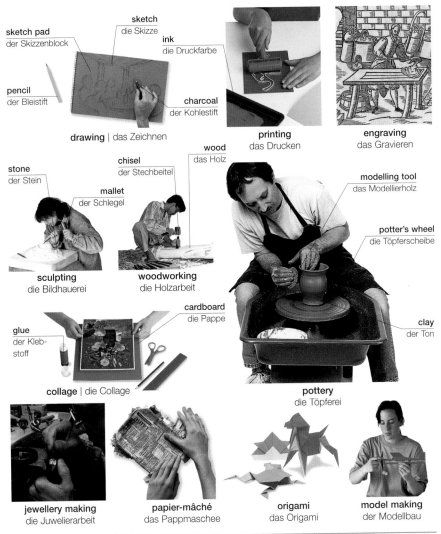

sketch pad
der Skizzenblock

sketch
die Skizze

ink
die Druckfarbe

pencil
der Bleistift

charcoal
der Kohlestift

drawing | das Zeichnen

printing
das Drucken

engraving
das Gravieren

stone
der Stein

chisel
der Stechbeitel

wood
das Holz

mallet
der Schlegel

modelling tool
das Modellierholz

potter's wheel
die Töpferscheibe

sculpting
die Bildhauerei

woodworking
die Holzarbeit

cardboard
die Pappe

glue
der Kleb-
stoff

clay
der Ton

collage | die Collage

pottery
die Töpferei

jewellery making
die Juwelierarbeit

papier-mâché
das Pappmaschee

origami
das Origami

model making
der Modellbau

arts and crafts 2 • das Kunsthandwerk 2

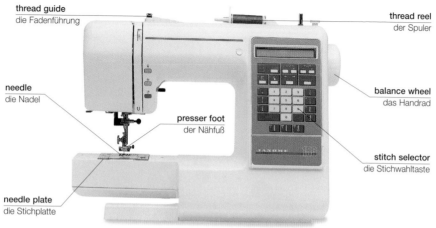

thread guide
die Fadenführung

thread reel
der Spuler

needle
die Nadel

balance wheel
das Handrad

presser foot
der Nähfuß

stitch selector
die Stichwahltaste

needle plate
die Stichplatte

sewing machine | die Nähmaschine

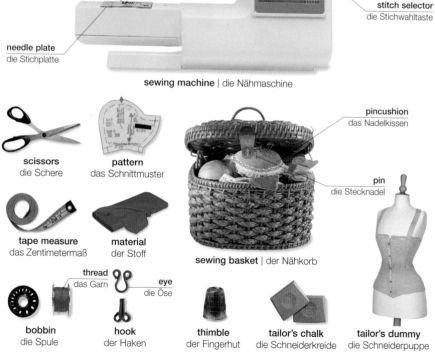

scissors
die Schere

pattern
das Schnittmuster

pincushion
das Nadelkissen

pin
die Stecknadel

tape measure
das Zentimetermaß

material
der Stoff

sewing basket | der Nähkorb

thread
das Garn

eye
die Öse

bobbin
die Spule

hook
der Haken

thimble
der Fingerhut

tailor's chalk
die Schneiderkreide

tailor's dummy
die Schneiderpuppe

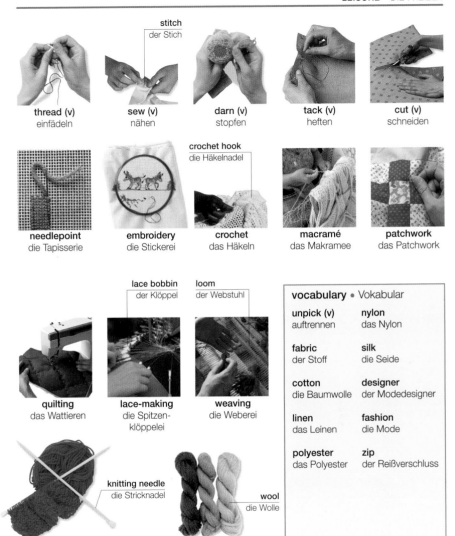

stitch
der Stich

thread (v)
einfädeln

sew (v)
nähen

darn (v)
stopfen

tack (v)
heften

cut (v)
schneiden

needlepoint
die Tapisserie

embroidery
die Stickerei

crochet hook
die Häkelnadel

crochet
das Häkeln

macramé
das Makramee

patchwork
das Patchwork

quilting
das Wattieren

lace bobbin
der Klöppel

loom
der Webstuhl

lace-making
die Spitzen-
klöppelei

weaving
die Weberei

knitting needle
die Stricknadel

knitting | das Stricken

wool
die Wolle

skein | der Strang

vocabulary • Vokabular

unpick (v)
auftrennen

nylon
das Nylon

fabric
der Stoff

silk
die Seide

cotton
die Baumwolle

designer
der Modedesigner

linen
das Leinen

fashion
die Mode

polyester
das Polyester

zip
der Reißverschluss

environment
die Umwelt

space • der Weltraum

Earth
die Erde

Mercury
der Merkur

Mars
der Mars

Jupiter
der Jupiter

Uranus
der Uranus

Neptune
der Neptun

Pluto
der Pluto

Venus
die Venus

Sun
die Sonne

Moon
der Mond

Saturn
der Saturn

solar system | das Sonnensystem

galaxy
die Galaxie

nebula
der Nebelfleck

asteroid
der Asteroid

tail
der Schweif

star
der Stern

comet
der Komet

vocabulary • Vokabular

universe das Universum	**planet** der Planet	**full moon** der Vollmond
orbit die Umlaufbahn	**meteor** der Meteor	**new moon** der Neumond
gravity die Schwerkraft	**black hole** das Schwarze Loch	**crescent moon** die Mondsichel

eclipse | die Finsternis

space exploration • die Raumforschung

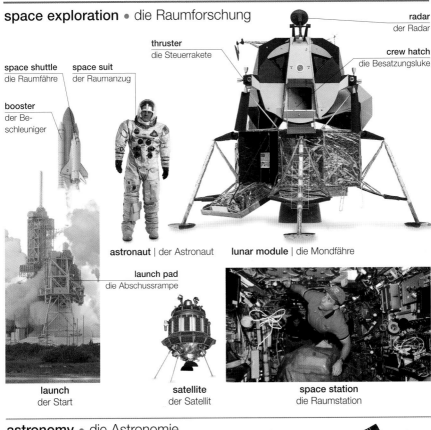

radar
der Radar

thruster
die Steuerrakete

crew hatch
die Besatzungsluke

space shuttle
die Raumfähre

space suit
der Raumanzug

booster
der Be-
schleuniger

astronaut | der Astronaut

lunar module | die Mondfähre

launch pad
die Abschussrampe

launch
der Start

satellite
der Satellit

space station
die Raumstation

astronomy • die Astronomie

constellation
das Sternbild

binoculars
das Fernglas

telescope
das Teleskop

tripod
das Stativ

Earth • die Erde

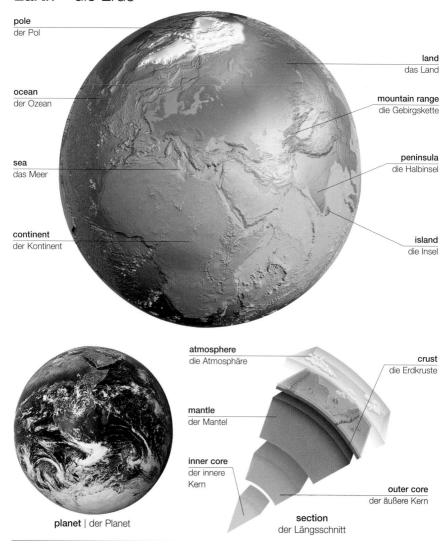

pole
der Pol

land
das Land

ocean
der Ozean

mountain range
die Gebirgskette

sea
das Meer

peninsula
die Halbinsel

continent
der Kontinent

island
die Insel

atmosphere
die Atmosphäre

crust
die Erdkruste

mantle
der Mantel

inner core
der innere
Kern

outer core
der äußere Kern

planet | der Planet

section
der Längsschnitt

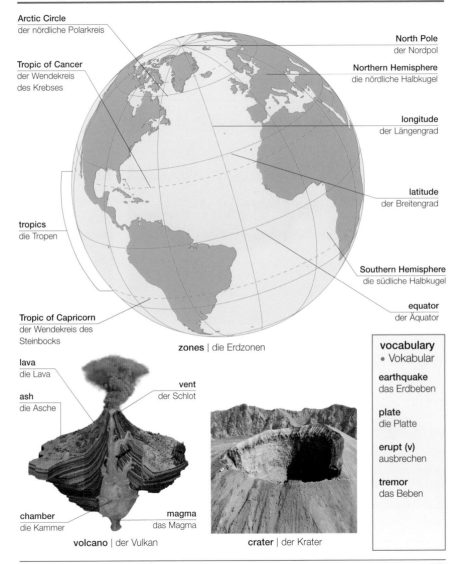

Arctic Circle
der nördliche Polarkreis

North Pole
der Nordpol

Tropic of Cancer
der Wendekreis
des Krebses

Northern Hemisphere
die nördliche Halbkugel

longitude
der Längengrad

latitude
der Breitengrad

tropics
die Tropen

Southern Hemisphere
die südliche Halbkugel

Tropic of Capricorn
der Wendekreis des
Steinbocks

equator
der Äquator

zones | die Erdzonen

lava
die Lava

vent
der Schlot

ash
die Asche

chamber
die Kammer

magma
das Magma

volcano | der Vulkan

crater | der Krater

vocabulary
• Vokabular

earthquake
das Erdbeben

plate
die Platte

erupt (v)
ausbrechen

tremor
das Beben

landscape • die Landschaft

mountain
der Berg

slope
der Hang

bank
das Ufer

river
der Fluss

rapids
die Strom-
schnellen

rocks
die Felsen

glacier
der Gletscher

valley | das Tal

hill
der Hügel

plateau
das Plateau

gorge
die Schlucht

cave
die Höhle

plain | die Ebene

desert | die Wüste

forest | der Wald

wood | der Wald

rainforest
der Regenwald

swamp
der Sumpf

meadow
die Wiese

grassland
das Grasland

waterfall
der Wasserfall

stream
der Bach

lake
der See

geyser
der Geysir

coast
die Küste

cliff
die Klippe

coral reef
das Korallenriff

estuary
die Flussmündung

weather • das Wetter

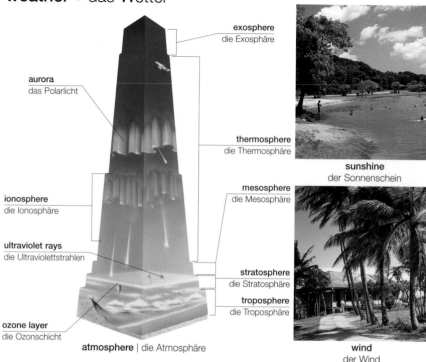

exosphere
die Exosphäre

aurora
das Polarlicht

thermosphere
die Thermosphäre

sunshine
der Sonnenschein

mesosphere
die Mesosphäre

ionosphere
die Ionosphäre

ultraviolet rays
die Ultraviolettstrahlen

stratosphere
die Stratosphäre

troposphere
die Troposphäre

ozone layer
die Ozonschicht

atmosphere | die Atmosphäre

wind
der Wind

vocabulary • Vokabular

sleet der Schneeregen	**shower** der Schauer	**hot** heiß	**dry** trocken	**windy** windig	**I'm hot/cold.** Mir ist heiß/kalt.
hail der Hagel	**sunny** sonnig	**cold** kalt	**wet** nass	**gale** der Sturm	**It's raining.** Es regnet.
thunder der Donner	**cloudy** bewölkt	**warm** warm	**humid** feucht	**temperature** die Temperatur	**It's … degrees** Es sind … Grad.

cloud
die Wolke

rain
der Regen

lightning
der Blitz

storm
das Gewitter

mist
der feine Nebel

fog
der dichte Nebel

rainbow
der Regenbogen

icicle
der Eiszapfen

snow
der Schnee

frost
der Raureif

ice
das Eis

freeze
der Frost

hurricane
der Hurrikan

tornado
der Tornado

monsoon
der Monsun

flood
die Überschwemmung

rocks • das Gestein

igneous • eruptiv

granite
der Granit

obsidian
der Obsidian

basalt
der Basalt

pumice
der Bimsstein

sedimentary • sedimentär

sandstone
der Sandstein

limestone
der Kalkstein

chalk
die Kreide

flint
der Feuerstein

conglomerate
das Konglomerat

coal
die Kohle

metamorphic • metamorph

slate
der Schiefer

schist
der Glimmerschiefer

gneiss
der Gneis

marble
der Marmor

gems • die Schmucksteine

ruby
der Rubin

amethyst
der Amethyst

jet
der Gagat

opal
der Opal

moonstone
der Mondstein

diamond
der Diamant

garnet
der Granat

topaz
der Topas

aquamarine
der Aquamarin

jade
der Jade

emerald
der Smaragd

sapphire
der Saphir

tourmaline
der Turmalin

minerals • die Mineralien

quartz
der Quarz

mica
der Glimmer

sulphur
der Schwefel

hematite
der Hämatit

calcite
der Kalzit

malachite
der Malachit

turquoise
der Türkis

onyx
der Onyx

agate
der Achat

graphite
der Graphit

metals • die Metalle

gold
das Gold

silver
das Silber

platinum
das Platin

nickel
das Nickel

iron
das Eisen

copper
das Kupfer

tin
das Zinn

aluminium
das Aluminium

mercury
das Quecksilber

zinc
das Zink

animals 1 • die Tiere 1
mammals • die Säugetiere

whiskers
die Schnurrhaare

tail
der Schwanz

rabbit
das Kaninchen

hamster
der Hamster

mouse
die Maus

rat
die Ratte

hedgehog
der Igel

squirrel
das Eichhörnchen

bat
die Fledermaus

raccoon
der Waschbär

fox
der Fuchs

wolf
der Wolf

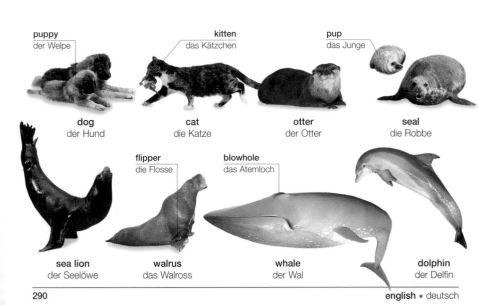

puppy
der Welpe

kitten
das Kätzchen

pup
das Junge

dog
der Hund

cat
die Katze

otter
der Otter

seal
die Robbe

flipper
die Flosse

blowhole
das Atemloch

sea lion
der Seelöwe

walrus
das Walross

whale
der Wal

dolphin
der Delfin

antler
das Geweih

mane
die Mähne

hoof
der Huf

deer
der Hirsch

zebra
das Zebra

giraffe
die Giraffe

hump
der Höcker

dromedary
das Dromedar

trunk
der Rüssel

tusk
der Stoßzahn

horn
das Horn

hippopotamus
das Nilpferd

elephant
der Elefant

rhinoceros
das Nashorn

tiger
der Tiger

mane
die Mähne

lion
der Löwe

monkey
der Affe

gorilla
der Gorilla

koala
der Koalabär

pouch
der Beutel

panda
der Pandabär

claw
die Klaue

kangaroo
das Känguru

bear
der Bär

polar bear
der Eisbär

animals 2 • die Tiere 2
birds • die Vögel

tail
der Schwanz

canary
der Kanarienvogel

sparrow
der Spatz

hummingbird
der Kolibri

swallow
die Schwalbe

crow
die Krähe

pigeon
die Taube

woodpecker
der Specht

falcon
der Falke

owl
die Eule

gull
die Möwe

eagle
der Adler

pelican
der Pelikan

flamingo
der Flamingo

stork
der Storch

crane
der Kranich

penguin
der Pinguin

ostrich
der Strauß

reptiles • die Reptilien

goose | die Gans

swan
der Schwan

peacock
der Pfau

pheasant
der Fasan

turkey
der Truthahn

cockatoo
der Kakadu

bill
der Schnabel

feather
die Feder

wing
der
Flügel

claw
die Kralle

parrot
der Papagei

scales
die Schuppen

alligator
der Alligator

lizard
die Eidechse

iguana
der Leguan

shell
der Panzer

turtle
die Wasserschildkröte

tortoise
die Schildkröte

snake
die Schlange

snout
die Schnauze

crocodile
das Krokodil

animals 3 • die Tiere 3
amphibians • die Amphibien

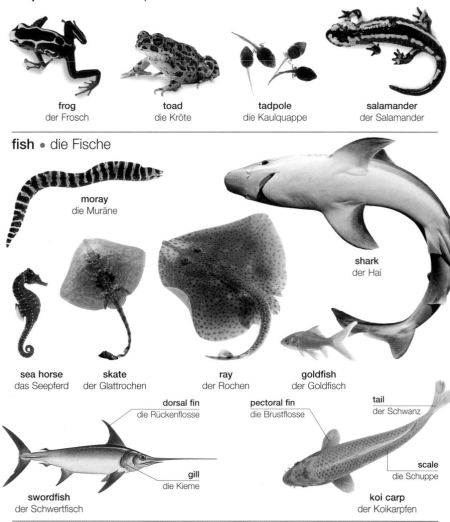

frog
der Frosch

toad
die Kröte

tadpole
die Kaulquappe

salamander
der Salamander

fish • die Fische

moray
die Muräne

shark
der Hai

sea horse
das Seepferd

skate
der Glattrochen

ray
der Rochen

goldfish
der Goldfisch

dorsal fin
die Rückenflosse

pectoral fin
die Brustflosse

tail
der Schwanz

gill
die Kieme

scale
die Schuppe

swordfish
der Schwertfisch

koi carp
der Koikarpfen

english • deutsch

invertebrates • die Wirbellosen

ant
die Ameise

termite
die Termite

bee
die Biene

wasp
die Wespe

beetle
der Käfer

cockroach
die Schabe

moth
der Nachtfalter

antenna
der Fühler
butterfly
der Schmetterling

cocoon
der Kokon

caterpillar
die Raupe

cricket
die Grille

grasshopper
die Heuschrecke

praying mantis
die Gottesanbeterin

sting
der Stachel
scorpion
der Skorpion

centipede
der Tausendfüßer

dragonfly
die Libelle

fly
die Fliege

mosquito
die Stechmücke

ladybird
der Marienkäfer

spider
die Spinne

slug
die Nacktschnecke

snail
die Schnecke

worm
der Wurm

starfish
der Seestern

mussel
die Muschel

crab
der Krebs

lobster
der Hummer

octopus
der Krake

squid
der Tintenfisch

jellyfish
die Qualle

plants • die Pflanzen

tree • der Baum

branch
der Ast

bark
die Rinde

leaf
das Blatt

twig
der Zweig

root
die Wurzel

trunk
der Stamm

oak
die Eiche

willow
die Weide

poplar
die Pappel

eucalyptus
der Eukalyptus

larch
die Lärche

beech
die Buche

birch
die Birke

pine
die Kiefer

cedar
die Zeder

maple
der Ahorn

elm
die Ulme

lime
die Linde

berry
die Beere

holly
die Stechpalme

palm
die Palme

flowering plant • die blühende Pflanze

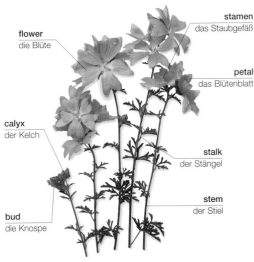

stamen
das Staubgefäß

flower
die Blüte

petal
das Blütenblatt

calyx
der Kelch

stalk
der Stängel

stem
der Stiel

bud
die Knospe

buttercup
der Hahnenfuß

daisy
das
Gänseblümchen

thistle
die Distel

dandelion
der Löwenzahn

heather
das Heidekraut

poppy
der Klatschmohn

foxglove
der Fingerhut

honeysuckle
das Geißblatt

sunflower
die Sonnenblume

clover
der Klee

bluebells
die Sternhyazinthen

primrose
die
Schlüsselblume

lupins
die Lupinen

nettle
die Nessel

town • die Stadt

street
die Straße

kerb
die Bordsteinkante

street corner
die Straßenecke

shop
der Laden

intersection
die Kreuzung

one-way
system
die
Einbahnstraße

pavement
der
Bürgersteig

office block
das
Bürogebäude

apartment
block
der
Wohnblock

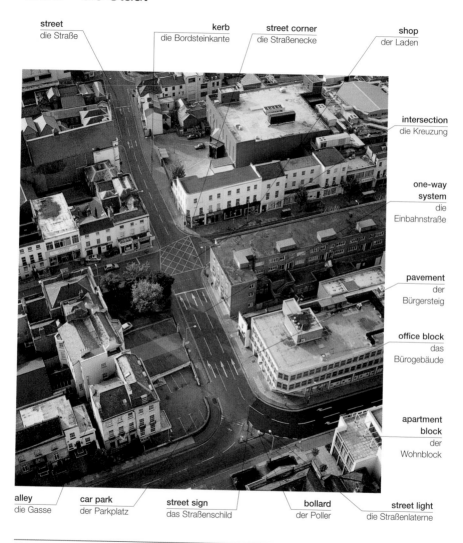

alley
die Gasse

car park
der Parkplatz

street sign
das Straßenschild

bollard
der Poller

street light
die Straßenlaterne

buildings • die Gebäude

town hall
das Rathaus

library
die Bibliothek

cinema
das Kino

theatre
das Theater

university
die Universität

skyscraper
der Wolkenkratzer

school
die Schule

areas • die Gebiete

industrial estate
das Industriegebiet

city
die Innenstadt

suburb
die Vorstadt

village
das Dorf

---

vocabulary • Vokabular

pedestrian zone
die Fußgängerzone

side street
die Seitenstraße

manhole
der Kanalschacht

gutter
der Rinnstein

church
die Kirche

avenue
die Allee

square
der Platz

bus stop
die Bushaltestelle

factory
die Fabrik

drain
der Kanal

---

architecture • die Architektur

buildings and structures • die Gebäude und Strukturen

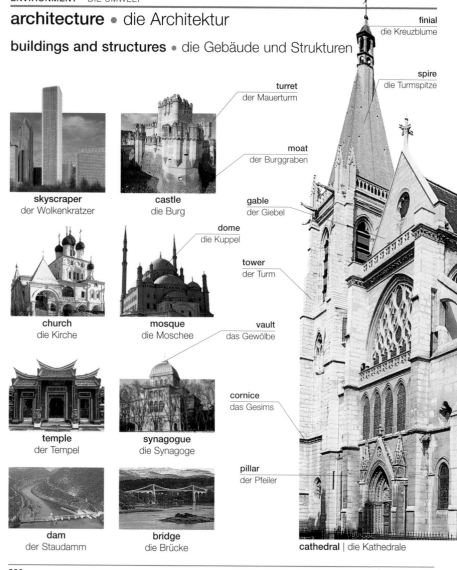

skyscraper
der Wolkenkratzer

castle
die Burg

church
die Kirche

mosque
die Moschee

temple
der Tempel

synagogue
die Synagoge

dam
der Staudamm

bridge
die Brücke

finial
die Kreuzblume

spire
die Turmspitze

turret
der Mauerturm

moat
der Burggraben

gable
der Giebel

dome
die Kuppel

tower
der Turm

vault
das Gewölbe

cornice
das Gesims

pillar
der Pfeiler

cathedral | die Kathedrale

styles • die Baustile

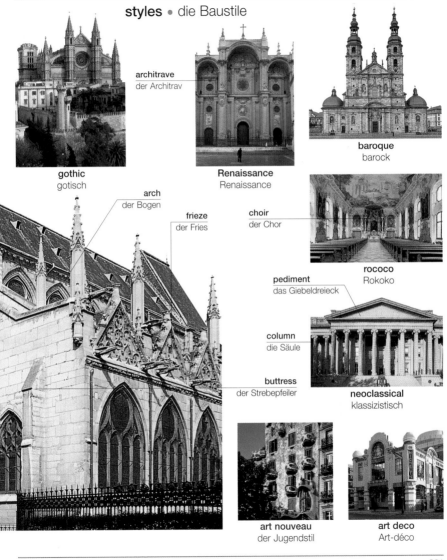

gothic
gotisch

architrave
der Architrav

Renaissance
Renaissance

baroque
barock

arch
der Bogen

frieze
der Fries

choir
der Chor

rococo
Rokoko

pediment
das Giebeldreieck

column
die Säule

buttress
der Strebepfeiler

neoclassical
klassizistisch

art nouveau
der Jugendstil

art deco
Art-déco

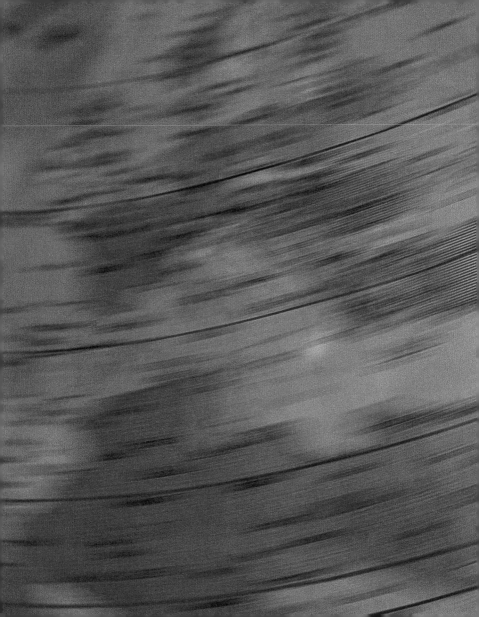

reference
die Information

time • die Uhrzeit

minute hand
der Minutenzeiger

hour hand
der Stundenzeiger

clock
die Uhr

five past one
fünf nach eins

ten past one
zehn nach eins

quarter past one
Viertel nach eins

twenty past one
zwanzig nach eins

second hand
der Sekun-
denzeiger

twenty five past one
fünf vor halb zwei

one thirty
ein Uhr dreißig

twenty five to two
fünf nach halb zwei

twenty to two
zwanzig vor zwei

quarter to two
Viertel vor zwei

ten to two
zehn vor zwei

five to two
fünf vor zwei

two o'clock
zwei Uhr

night and day • die Nacht und der Tag

midnight
die Mitternacht

sunrise
der Sonnenaufgang

dawn
die Morgendämmerung

morning
der Morgen

sunset
der Sonnenuntergang

midday
der Mittag

dusk
die Abenddämmerung

evening
der Abend

afternoon
der Nachmittag

vocabulary • Vokabular

early früh	**You're early.** Du bist früh dran.	**Please be on time.** Sei bitte pünktlich.	**What time does it finish?** Wann ist es zu Ende?
on time pünktlich	**You're late.** Du hast dich verspätet.	**I'll see you later.** Bis später.	**How long will it last?** Wie lange dauert es?
late spät	**I'll be there soon.** Ich werde bald dort sein.	**What time does it start?** Wann fängt es an?	**It's getting late.** Es ist schon spät.

calendar • der Kalender

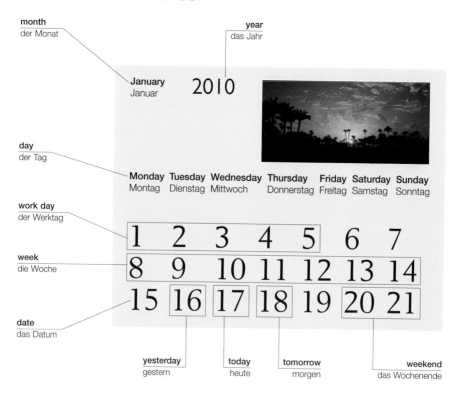

month
der Monat

year
das Jahr

January
Januar

2010

day
der Tag

work day
der Werktag

week
die Woche

date
das Datum

Monday	Tuesday	Wednesday	Thursday	Friday	Saturday	Sunday
Montag	Dienstag	Mittwoch	Donnerstag	Freitag	Samstag	Sonntag

1	2	3	4	5	6	7
8	9	10	11	12	13	14
15	16	17	18	19	20	21

yesterday
gestern

today
heute

tomorrow
morgen

weekend
das Wochenende

vocabulary • Vokabular

January	**March**	**May**	**July**	**September**	**November**
Januar	März	Mai	Juli	September	November
February	**April**	**June**	**August**	**October**	**December**
Februar	April	Juni	August	Oktober	Dezember

years • die Jahre

1900   **nineteen hundred** • neunzehnhundert

1901   **nineteen hundred and one** • neunzehnhunderteins

1910   **nineteen ten** • neunzehnhundertzehn

2000   **two thousand** • zweitausend

2001   **two thousand and one** • zweitausendeins

seasons • die Jahreszeiten

spring
der Frühling

summer
der Sommer

autumn
der Herbst

winter
der Winter

vocabulary • Vokabular

century
das Jahrhundert

decade
das Jahrzehnt

millennium
das Jahrtausend

fortnight
vierzehn Tage

this week
diese Woche

last week
letzte Woche

next week
nächste Woche

the day before yesterday
vorgestern

the day after tomorrow
übermorgen

weekly
wöchentlich

monthly
monatlich

annual
jährlich

What's the date today?
Welches Datum haben wir heute?

It's February seventh, two thousand and two.
Heute ist der siebte Februar zweitausendzwei.

numbers • die Zahlen

0	zero • null	20	twenty • zwanzig
1	one • eins	21	twenty-one • einundzwanzig
2	two • zwei	22	twenty-two • zweiundzwanzig
3	three • drei	30	thirty • dreißig
4	four • vier	40	forty • vierzig
5	five • fünf	50	fifty • fünfzig
6	six • sechs	60	sixty • sechzig
7	seven • sieben	70	seventy • siebzig
8	eight • acht	80	eighty • achtzig
9	nine • neun	90	ninety • neunzig
10	ten • zehn	100	one hundred • hundert
11	eleven • elf	110	one hundred and ten • hundertzehn
12	twelve • zwölf	200	two hundred • zweihundert
13	thirteen • dreizehn	300	three hundred • dreihundert
14	fourteen • vierzehn	400	four hundred • vierhundert
15	fifteen • fünfzehn	500	five hundred • fünfhundert
16	sixteen • sechzehn	600	six hundred • sechshundert
17	seventeen • siebzehn	700	seven hundred • siebenhundert
18	eighteen • achtzehn	800	eight hundred • achthundert
19	nineteen • neunzehn	900	nine hundred • neunhundert

1000 · **one thousand** • tausend

10,000 · **ten thousand** • zehntausend

20,000 · **twenty thousand** • zwanzigtausend

50,000 · **fifty thousand** • fünfzigtausend

55,500 · **fifty-five thousand five hundred** • fünfundfünfzigtausendfünfhundert

100,000 · **one hundred thousand** • hunderttausend

1,000,000 · **one million** • eine Million

1,000,000,000 · **one billion** • eine Milliarde

first / erster **second** / zweiter **third** / dritter

fourth • vierter

fifth • fünfter

sixth • sechster

seventh • siebter

eighth • achter

ninth • neunter

tenth • zehnter

eleventh • elfter

twelfth • zwölfter

thirteenth • dreizehnter

fourteenth • vierzehnter

fifteenth • fünfzehnter

sixteenth
• sechzehnter

seventeenth
• siebzehnter

eighteenth
• achtzehnter

nineteenth
• neunzehnter

twentieth
• zwanzigster

twenty-first
• einundzwanzigster

twenty-second
• zweiundzwanzigster

twenty-third
• dreiundzwanzigster

thirtieth • dreißigster

fortieth • vierzigster

fiftieth • fünfzigster

sixtieth • sechzigster

seventieth
• siebzigster

eightieth • achtzigster

ninetieth • neunzigster

hundredth
• hundertster

weights and measures • die Maße und Gewichte

area • die Fläche

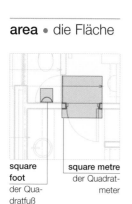

square foot
der Quadratfuß

square metre
der Quadratmeter

distance • die Entfernung

kilometre
der Kilometer

mile
die Meile

pan
die Waagschale

pound
das Pfund

ounce
die Unze

kilogram
das Kilogramm

gram
das Gramm

KRUPS

scales | die Waage

vocabulary • Vokabular

yard das Yard	**tonne** die Tonne	**measure (v)** messen
metre der Meter	**milligram** das Milligramm	**weigh (v)** wiegen

length • die Länge

foot
der Fuß

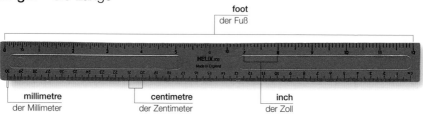

HELIX
Made in England

millimetre
der Millimeter

centimetre
der Zentimeter

inch
der Zoll

capacity • das Fassungsvermögen

half-litre
der halbe Liter

pint
das Pint

volume
das Volumen

millilitre
der Milliliter

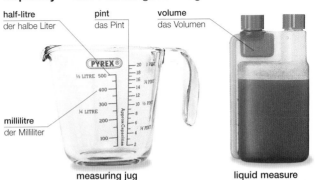

measuring jug
der Messbecher

liquid measure
das Flüssigkeitsmaß

container • der Behälter

carton
die Tüte

packet
das Päckchen

bottle
die Flasche

bag
der Beutel

tub | die Dose

jar | das Glas

tin | die Dose

liquid dispenser
der Sprühbehälter

bar
das Stück

tube
die Tube

roll
die Rolle

pack
das Päckchen

spray can
die Sprühdose

world map • die Weltkarte

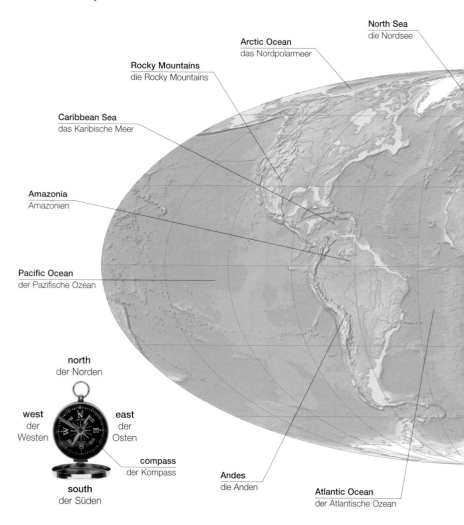

North Sea
die Nordsee

Arctic Ocean
das Nordpolarmeer

Rocky Mountains
die Rocky Mountains

Caribbean Sea
das Karibische Meer

Amazonia
Amazonien

Pacific Ocean
der Pazifische Ozean

north
der Norden

west
der
Westen

east
der
Osten

compass
der Kompass

south
der Süden

Andes
die Anden

Atlantic Ocean
der Atlantische Ozean

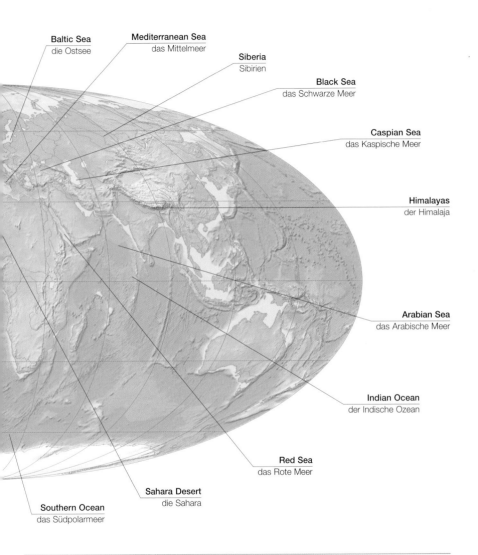

Baltic Sea
die Ostsee

Mediterranean Sea
das Mittelmeer

Siberia
Sibirien

Black Sea
das Schwarze Meer

Caspian Sea
das Kaspische Meer

Himalayas
der Himalaja

Arabian Sea
das Arabische Meer

Indian Ocean
der Indische Ozean

Red Sea
das Rote Meer

Sahara Desert
die Sahara

Southern Ocean
das Südpolarmeer

North and Central America • Nord- und Mittelamerika

Hawaii
Hawaii

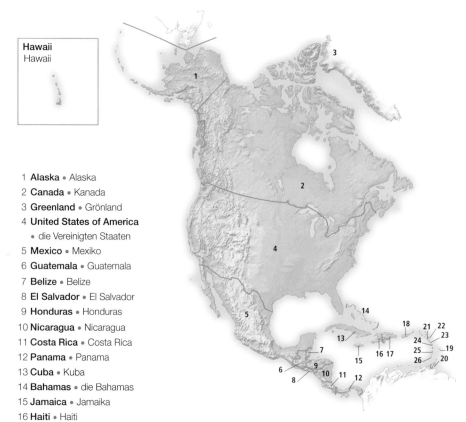

1 **Alaska** • Alaska
2 **Canada** • Kanada
3 **Greenland** • Grönland
4 **United States of America**
  • die Vereinigten Staaten
5 **Mexico** • Mexiko
6 **Guatemala** • Guatemala
7 **Belize** • Belize
8 **El Salvador** • El Salvador
9 **Honduras** • Honduras
10 **Nicaragua** • Nicaragua
11 **Costa Rica** • Costa Rica
12 **Panama** • Panama
13 **Cuba** • Kuba
14 **Bahamas** • die Bahamas
15 **Jamaica** • Jamaika
16 **Haiti** • Haiti
17 **Dominican Republic**
  • die Dominikanische Republik
18 **Puerto Rico** • Puerto Rico
19 **Barbados** • Barbados
20 **Trinidad and Tobago** • Trinidad und Tobago
21 **St. Kitts and Nevis** • Saint Kitts und Nevis

22 **Antigua and Barbuda** • Antigua und Barbuda
23 **Dominica** • Dominica
24 **St Lucia** • Saint Lucia
25 **St Vincent and The Grenadines**
  • Saint Vincent und die Grenadinen
26 **Grenada** • Grenada

South America • Südamerika

1 **Venezuela** • Venezuela

2 **Colombia** • Kolumbien

3 **Ecuador** • Ecuador

4 **Peru** • Peru

5 **Galapagos Islands**
  • die Galapagos-Inseln

6 **Guyana** • Guyana

7 **Suriname** • Suriname

8 **French Guiana**
  • Französisch-Guayana

9 **Brazil** • Brasilien

10 **Bolivia** • Bolivien

11 **Chile** • Chile

12 **Argentina** • Argentinien

13 **Paraguay** • Paraguay

14 **Uruguay** • Uruguay

15 **Falkland Islands**
  • die Falkland-Inseln

vocabulary • Vokabular

country das Land	**zone** die Zone	**region** die Region
state der Staat	**district** der Bezirk	**capital** die Haupt- stadt
nation die Nation	**territory** das Territorium	
province die Provinz	**principality** das Fürstentum	
colony die Kolonie	**continent** der Kontinent	

Europe • Europa

1 **Ireland** • Irland
2 **United Kingdom**
   • Großbritannien
3 **Portugal** • Portugal
4 **Spain** • Spanien
5 **Balearic Islands**
   • die Balearen
6 **Andorra** • Andorra
7 **France** • Frankreich
8 **Belgium** • Belgien
9 **Netherlands**
   • die Niederlande
10 **Luxembourg** • Luxemburg
11 **Germany** • Deutschland
12 **Denmark** • Dänemark
13 **Norway** • Norwegen
14 **Sweden** • Schweden
15 **Finland** • Finnland
16 **Estonia** • Estland
17 **Latvia** • Lettland
18 **Lithuania** • Litauen
19 **Kaliningrad** • Kaliningrad
20 **Poland** • Polen
21 **Czech Republic**
   • die Tschechische
   Republik
22 **Austria** • Österreich
23 **Liechtenstein**
   • Liechtenstein
24 **Switzerland**
   • die Schweiz
25 **Italy** • Italien
26 **Monaco**
   • Monaco
27 **Corsica**
   • Korsika
28 **Sardinia**
   • Sardinien

29 **San Marino**
   • San Marino
30 **Vatican City**
   • die Vatikanstadt
31 **Sicily** • Sizilien
32 **Malta** • Malta
33 **Slovenia** • Slowenien
34 **Croatia** • Kroatien
35 **Hungary** • Ungarn
36 **Slovakia** • die Slowakei
37 **Ukraine** • die Ukraine
38 **Belarus** • Weißrussland

39 **Moldova** • Moldawien
40 **Romania** • Rumänien
41 **Serbia** • Serbien
42 **Bosnia and Herzegovina**
   • Bosnien und Herzegowina
43 **Albania** • Albanien
44 **Macedonia** • Mazedonien
45 **Bulgaria** • Bulgarien
46 **Greece** • Griechenland
47 **Kosovo** • Kosovo
48 **Montenegro** • Montenegro
49 **Iceland** • Island

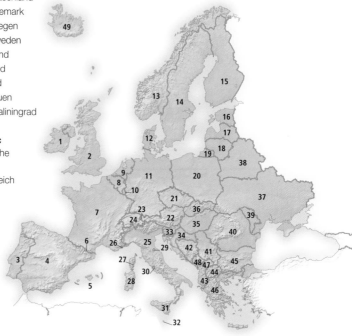

Africa • Afrika

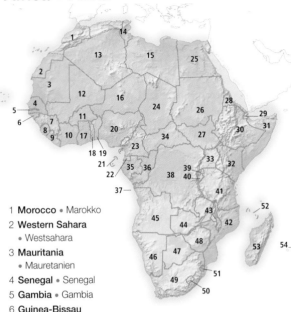

1 **Morocco** • Marokko

2 **Western Sahara**
  • Westsahara

3 **Mauritania**
  • Mauretanien

4 **Senegal** • Senegal

5 **Gambia** • Gambia

6 **Guinea-Bissau**
  • Guinea-Bissau

7 **Guinea** • Guinea

8 **Sierra Leone** • Sierra Leone

9 **Liberia** • Liberia

10 **Ivory Coast** • Elfenbeinküste

11 **Burkina Faso** • Burkina Faso

12 **Mali** • Mali

13 **Algeria** • Algerien

14 **Tunisia** • Tunesien

15 **Libya** • Libyen

16 **Niger** • Niger

17 **Ghana** • Ghana

18 **Togo** • Togo

19 **Benin** • Benin

20 **Nigeria** • Nigeria

21 **São Tomé and Principe**
  • São Tomé und Príncipe

22 **Equatorial Guinea**
  • Äquatorialguinea

23 **Cameroon** •Kamerun

24 **Chad** • Tschad

25 **Egypt** • Ägypten

26 **Sudan** • der Sudan

27 **South Sudan** • Südsudan

28 **Eritrea** • Eritrea

29 **Djibouti** • Dschibuti

30 **Ethiopia** • Äthiopien

31 **Somalia** • Somalia

32 **Kenya** • Kenia

33 **Uganda** • Uganda

34 **Central African Republic**
  • die Zentralafrikanische
  Republik

35 **Gabon** • Gabun

36 **Congo** • Kongo

37 **Cabinda** • Kabinda

38 **Democratic Republic of the
  Congo** • die Demokratische
  Republik Kongo

39 **Rwanda** • Ruanda

40 **Burundi** • Burundi

41 **Tanzania** • Tansania

42 **Mozambique** • Mosambik

43 **Malawi** • Malawi

44 **Zambia** • Sambia

45 **Angola** • Angola

46 **Namibia** • Namibia

47 **Botswana** • Botswana

48 **Zimbabwe** • Simbabwe

49 **South Africa** • Südafrika

50 **Lesotho** • Lesotho

51 **Swaziland** • Swasiland

52 **Comoros** • die Komoren

53 **Madagascar** • Madagaskar

54 **Mauritius** • Mauritius

Asia • Asien

1 **Turkey** • die Türkei
2 **Cyprus** • Zypern
3 **Russian Federation** • die Russische Föderation
4 **Georgia** • Georgien
5 **Armenia** • Armenien
6 **Azerbaijan** • Aserbaidschan
7 **Iran** • der Iran
8 **Iraq** • der Irak
9 **Syria** • Syrien
10 **Lebanon** • der Libanon
11 **Israel** • Israel
12 **Jordan** • Jordanien
13 **Saudi Arabia** • Saudi-Arabien
14 **Kuwait** • Kuwait
15 **Bahrain** • Bahrain
16 **Qatar** • Katar
17 **United Arab Emirates**
   • Vereinigte Arabische Emirate
18 **Oman** • Oman
19 **Yemen** • der Jemen
20 **Kazakhstan** • Kasachstan
21 **Uzbekistan** • Usbekistan
22 **Turkmenistan** • Turkmenistan
23 **Afghanistan** • Afghanistan
24 **Tajikistan** • Tadschikistan
25 **Kyrgyzstan** • Kirgisistan
26 **Pakistan** • Pakistan
27 **India** • Indien
28 **Maldives** • die Malediven
29 **Sri Lanka** • Sri Lanka
30 **China** • China
31 **Mongolia** • die Mongolei
32 **North Korea** • Nordkorea
33 **South Korea** • Südkorea
34 **Japan** • Japan
35 **Nepal** • Nepal
36 **Bhutan** • Bhutan

37 **Bangladesh**
   • Bangladesch
38 **Myanmar (Burma)**
   • Myanmar (Birma)
39 **Thailand** • Thailand
40 **Laos** • Laos
41 **Vietnam** • Vietnam
42 **Cambodia** • Kambodscha

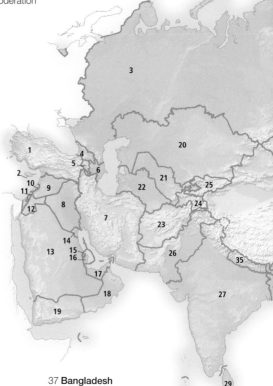

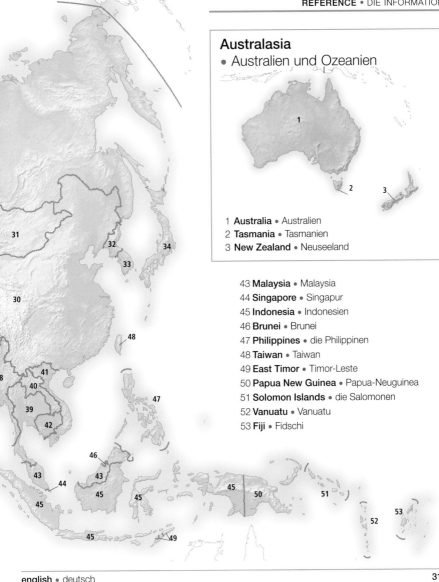

Australasia
• Australien und Ozeanien

1 **Australia** • Australien
2 **Tasmania** • Tasmanien
3 **New Zealand** • Neuseeland

43 **Malaysia** • Malaysia
44 **Singapore** • Singapur
45 **Indonesia** • Indonesien
46 **Brunei** • Brunei
47 **Philippines** • die Philippinen
48 **Taiwan** • Taiwan
49 **East Timor** • Timor-Leste
50 **Papua New Guinea** • Papua-Neuguinea
51 **Solomon Islands** • die Salomonen
52 **Vanuatu** • Vanuatu
53 **Fiji** • Fidschi

particles and antonyms • Partikeln und Antonyme

English	Deutsch		English	Deutsch
to	zu, nach		**for**	für
from	von, aus		**towards**	zu
over	über		**along**	entlang
under	unter		**across**	über
in front of	vor		**with**	mit
behind	hinter		**without**	ohne
onto	auf		**before**	vor
into	in		**after**	nach
in	in		**by**	bis
out	aus		**until**	bis
above	über		**early**	früh
below	unter		**late**	spät
inside	innerhalb		**now**	jetzt
outside	außerhalb		**later**	später
up	hinauf		**always**	immer
down	hinunter		**never**	nie
at	an, bei		**often**	oft
beyond	jenseits		**rarely**	selten
through	durch		**yesterday**	gestern
around	um		**tomorrow**	morgen
on top of	auf		**first**	erste
beside	neben		**last**	letzte
between	zwischen		**every**	jede
opposite	gegenüber		**some**	etwas
near	nahe		**about**	gegen
far	weit		**exactly**	genau
here	hier		**a little**	ein wenig
there	dort		**a lot**	viel

english • deutsch

large	small		hot	cold
groß	klein		heiß	kalt
wide	**narrow**		**open**	**closed**
breit	schmal		offen	geschlossen
tall	**short**		**full**	**empty**
groß	kurz		voll	leer
high	**low**		**new**	**old**
hoch	niedrig		neu	alt
thick	**thin**		**light**	**dark**
dick	dünn		hell	dunkel
light	**heavy**		**easy**	**difficult**
leicht	schwer		leicht	schwierig
hard	**soft**		**free**	**occupied**
hart	weich		frei	besetzt
wet	**dry**		**strong**	**weak**
nass	trocken		stark	schwach
good	**bad**		**fat**	**thin**
gut	schlecht		dick	dünn
fast	**slow**		**young**	**old**
schnell	langsam		jung	alt
correct	**wrong**		**better**	**worse**
richtig	falsch		besser	schlechter
clean	**dirty**		**black**	**white**
sauber	schmutzig		schwarz	weiß
beautiful	**ugly**		**interesting**	**boring**
schön	hässlich		interessant	langweilig
expensive	**cheap**		**sick**	**well**
teuer	billig		krank	wohl
quiet	**noisy**		**beginning**	**end**
leise	laut		der Anfang	das Ende

useful phrases • praktische Redewendungen

essential phrases
• wesentliche Redewendungen

Yes
Ja

No
Nein

Maybe
Vielleicht

Please
Bitte

Thank you
Danke

You're welcome
Bitte sehr

Excuse me
Entschuldigung

I'm sorry
Es tut mir Leid

Don't
Nicht

OK
Okay

That's fine
In Ordnung

That's correct
Das ist richtig

That's wrong
Das ist falsch

greetings
• Begrüßungen

Hello
Guten Tag

Goodbye
Auf Wiedersehen

Good morning
Guten Morgen

Good afternoon
Guten Tag

Good evening
Guten Abend

Good night
Gute Nacht

How are you?
Wie geht es Ihnen?

My name is…
Ich heiße…

What is your name?
Wie heißen Sie?

What is his/her name?
Wie heißt er/sie?

May I introduce…
Darf ich… vorstellen

This is…
Das ist…

Pleased to meet you
Angenehm

See you later
Bis später

signs • Schilder

Tourist information
Touristen-Information

Entrance
Eingang

Exit
Ausgang

Emergency exit
Notausgang

Push
Drücken

Danger
Lebensgefahr

No smoking
Rauchen verboten

Out of order
Außer Betrieb

Opening times
Öffnungszeiten

Free admission
Eintritt frei

Special offer
Sonderangebot

Reduced
Reduziert

Sale
Ausverkauf

Knock before entering
Bitte anklopfen

Keep off the grass
Betreten des Rasens verboten

help • Hilfe

Can you help me?
Können Sie mir helfen?

I don't understand
Ich verstehe nicht

I don't know
Ich weiß nicht

Do you speak English, French…?
Sprechen Sie Englisch, Französisch…?

I speak English, Spanish…
Ich spreche Englisch, Spanisch…

Please speak more slowly
Sprechen Sie bitte langsamer

Please write it down for me
Schreiben Sie es bitte für mich auf

I have lost…
Ich habe… verloren

directions
• Richtungsangaben

I am lost
Ich habe mich verlaufen

Where is the…?
Wo ist der/die/das…?

Where is the nearest…?
Wo ist der/die/das nächste…?

Where are the toilets?
Wo sind die Toiletten?

How do I get to…?
Wie komme ich nach…?

To the right
Nach rechts

To the left
Nach links

Straight ahead
Geradeaus

How far is…?
Wie weit ist…?

road signs
• die Verkehrsschilder

Slow down
Langsam fahren

Caution
Achtung

No entry
Keine Zufahrt

Diversion
Umleitung

Keep to the right
Rechts fahren

Motorway
Autobahn

No parking
Parkverbot

No through road
Sackgasse

One-way street
Einbahnstraße

Give way
Vorfahrt gewähren

Residents only
Anlieger frei

Roadworks
Baustelle

Dangerous bend
gefährliche Kurve

accommodation
• Unterkunft

Do you have any vacancies?
Haben Sie Zimmer frei?

I have a reservation
Ich habe ein Zimmer reserviert

Where's the dining room?
Wo ist der Speisesaal?

What time is breakfast?
Wann gibt es Frühstück?

I'll be back at … o'clock
Ich bin um … Uhr wieder da

I'm leaving tomorrow
Ich reise morgen ab

eating and drinking
• Essen und Trinken

Cheers!
Zum Wohl!

It's delicious/awful
Es ist köstlich/ scheußlich

I don't eat meat
Ich esse kein Fleisch

I don't drink/smoke
Ich trinke/rauche nicht

No more for me, thank you
Nichts mehr, danke

May I have some more?
Könnte ich noch etwas mehr haben?

May we have the bill?
Wir möchten bitte zahlen

Can I have a receipt?
Ich hätte gerne eine Quittung

No-smoking area
Nichtraucherbereich

health
• die Gesundheit

I don't feel well
Ich fühle mich nicht wohl

I feel sick
Mir ist schlecht

Can you get me a doctor?
Können Sie einen Arzt holen?

Will he/she be all right?
Wird er/sie sich wieder erholen?

It hurts here
Es tut hier weh

I have a temperature
Ich habe Fieber

I'm … months pregnant
Ich bin im … Monat schwanger

I need a prescription for …
Ich brauche ein Rezept für …

I normally take …
Ich nehme normalerweise …

I'm allergic to …
Ich bin allergisch gegen …

Verbliste • list of verbs

A	
abbeißen	bite off
abbekommen	get one's share
abbiegen	turn
abbrechen	abort
abdunkeln	darken
aberkennen	deprive
abfahren	leave
abfallen	fall off
abfließen	flow away
abfragen	query
abgeben	submit
abgießen	pour off
abgleichen	compare
abhängen	hang out
abheben (Telefon)	answer
abholzen	deforest
abladen	unload
ablaufen	run out
ablesen	read off
abmagern	lose weight
abmessen	measure
abmontieren	remove
abschleppen	tow away
absolvieren	complete
abstauben	dust off
abstrahieren	abstract
abwägen	weigh
abziehen (Tapete)	strip off
achtgeben	be careful
adaptieren	adapt
addieren	add
adressieren	address
agieren	act
agitieren	agitate
ahnden	punish
ähneln	resemble
ahnen	suspect
akquirieren	acquire
aktivieren	activate
aktualisieren	update
akzentuieren	accentuate
akzeptieren	accept
alarmieren	alert
als Fänger spielen (Baseball)	play as catcher (baseball)
altern	age
amputieren	amputate
amtieren	officiate
amüsieren	amuse
an Bord gehen	board
analysieren	analyse
anbeißen	bite
anbieten	offer
anbinden	tether

anbraten	sear
anbrechen	dawn
anbrennen	catch fire
anbringen	mount
ändern	change
anerkennen	recognise
anfahren	approach
anfallen	arise
anfechten	contest
anfeinden	treat with hostility
anfragen	inquire
anfreunden	make friends
angeben	specify
angehören	belong
angeln	fish
angreifen (Fußball)	attack (football)
ängstigen	frighten
anheben	raise
ankommen	arrive
anlegen (Schiff)	dock (ship)
annullieren	cancel
anonymisieren	anonymise
anschuldigen	accuse
ansehen	look
anstreichen	paint
anstrengen	strain
antworten	answer
anziehen	attract
anziehen	dress
applaudieren	applaud
arbeiten	work
ärgern	annoy
argumentieren	argue
artikulieren	articulate
assistieren	assist
atmen	breathe
attackieren	attack
auf der Stelle joggen	jog on the spot
aufbacken	warm up
aufblasen	inflate
aufbrechen	set out
aufessen	eat up
auffahren	ascend
auffallen	attract attention
auffangen	catch
auffinden	find
aufgeben	give up
aufgehen	rise
aufgießen	brew
aufhaben	wear
aufheben	cancel
aufheitern	cheer
aufkommen	arise
aufkreuzen (Wassersport)	tack (watersport)
aufladen	charge

auflassen	leave open
auflockern (Erde)	loosen up (soil)
aufmuntern	cheer up
aufschlagen (Tennis)	serve (tennis)
aufstehen	get up
auftauen	thaw
auftrennen	unpick
aufwachen	wake up
aufwärmen	heat up
ausblasen	blow out
ausbrechen	erupt
ausdenken	imagine
auseinanderbrechen	break apart
auseinanderfallen	disintegrate
ausfahren	extend
ausflippen	freak out
ausfragen	question
ausgeben	spend
ausgehen	go out
aushändigen	hand over
auskennen	be knowledgeable
auskommen	manage
ausladen	unload
auslaufen (Schiff)	sail (ship)
ausleihen	borrow
auslesen	select
ausmessen	measure
ausmisten	muck out
ausrenken	dislocate
ausrollen	roll out
äußern	express
aussöhnen	reconcile
ausspülen	rinse
ausstatten	equip
ausstrecken	stretch
ausweichen	dodge
auswerfen (Angeln)	cast (fishing)
authentifizieren	authenticate

B

backen	bake
baden	bathe
baggern	dig
bandagieren	bandage
bangen	fear
basteln	tinker
bauen	build
beabsichtigen	intend
beaufsichtigen	supervise
beben	quake
bebildern	illustrate
bedenken	consider
bedürfen	require
beeiden	swear
beeinträchtigen	impair
beenden	end
beerdigen	bury
befahren	cruise
befehlen	command

befeuchten	moisten
befinden	be (situated)
befrachten	load
befragen	consult
befreunden (sich)	befriend
befristen	limit
befürchten	fear
begeben	go
begegnen	encounter
begehren	desire
begießen	water
beginnen	begin
begleichen	settle
begnadigen	pardon
begreifen	grasp
behalten	keep
beheben	remedy
beibringen	teach
beichten	confess
beisammenbleiben	stay together
beißen	bite
beistehen	assist
beizen	pickle
bejahen	approve
bekanntgeben	announce
bekennen	confess
bekommen	get
bekräftigen	confirm
bekreuzigen	to cross oneself
belasten	load
belästigen	bother
beleidigen	offend
bellen	bark
belügen	lie
bemängeln	fault
bemuttern	mother
benachrichtigen	notify
benachteiligen	put at a disadvantage
benetzen	moisten
bereichern	enrich
bergen	save
berichtigen	rectify
bersten	burst
berücksichtigen	consider
beruhigen	soothe
beschäftigen	employ
bescheinigen	certify
beschleunigen	accelerate
beschneiden	prune
beschönigen	whitewash
beschränken	limit
beschriften	label
beschuldigen	accuse
beschweren	complain
beschwichtigen	appease
beseitigen	dispose
besichtigen	visit
bessern	improve
bestätigen	confirm

bestatten	inter
bestellen	order
betäuben	anesthetise
beteiligen	participate
beten	pray
beteuern	protest
betonen	emphasise
betonieren	concrete
betören	beguile
betreuen	look after
betteln	beg
beugen	bend
beurkunden	register
beurlauben	grant leave
bevölkern	populate
bevollmächtigen	authorise
bewaffnen	arm
bewältigen	deal with
bewässern	water
bewegen (veranlassen)	induce
bewilligen	grant
bewirten	entertain
bewölken	cloud over
bezahlen	pay
bezichtigen	accuse
biegen	bend
bieten	offer
bilanzieren	balance
bilden	form
billigen	approve
binden	tie
bitten	ask for
blamieren	disgrace
blanchieren	blanch
blasen	blow
blättern	scroll
bleiben	remain
blenden	dazzle
blinken	flash
blinzeln	blink
blitzen	flash
blocken (Sport)	block (sports)
blockieren	block
blödeln	fool around
blöken	bleat
blühen	bloom
bluten	bleed
bohren	drill
bombardieren	bomb
borgen	borrow
boxen	box
boykottieren	boycott
braten	fry
braten	roast
brauchen	need
brechen	break
bremsen	brake
brennen	burn
bringen	bring

browsen	browse
brüllen	roar
brüten	brood
buchen	book
buchstabieren	spell out
bügeln	iron
bummeln	stroll
bürsten	brush
C	
charakterisieren	characterise
chatten	chat
chauffieren	chauffeur
chippen (Golf)	chip (golf)
D	
dabeihaben	have something with oneself
dableiben	stay
dalassen	leave
daliegen	lie
dämmen	contain
dämmern	dawn
dämonisieren	demonise
dampfen	steam
dämpfen	dampen
danken	thank
das Bett machen	make the bed
das Fruchtwasser geht ab	the waters brake
das Radio einstellen	tune the radio
datieren	date
dauern	last
debattieren	debate
debütieren	debut
decken (Sport)	mark (sport)
definieren	define
dehydrieren	dehydrate
deklinieren	decline
dekorieren	decorate
delegieren	delegate
dementieren	deny
demolieren	wreck
demonstrieren	demonstrate
demontieren	dismantle
demütigen	humble
den Anker werfen	cast anchor
den Ball abgeben	pass the ball
den Fernseher abschalten	turn the television off
den Fernseher einschalten	turn the television on
den Kanal wechseln	change channel
den Tisch decken	lay the table
den Vorsitz führen	preside
den Wecker stellen	set the alarm
denken	think
denunzieren	denounce
deponieren	deposit
deportieren	deport
deprimieren	depress
desertieren	desert
destillieren	distil

diagnostizieren	diagnose
dichten	seal
die Geburt einleiten	induce labour
die Haut schälen (Peeling)	peel the skin (peeling)
dienen	serve
diffamieren	defame
differenzieren	differentiate
digitalisieren	digitise
diktieren	dictate
dinieren	dine
dirigieren	conduct
diskriminieren	discriminate
diskutieren	discuss
disponieren	dispose
disputieren	dispute
disqualifizieren	disqualify
distanzieren	dissociate
dividieren	divide
dokumentieren	document
dolmetschen	interpret
dominieren	dominate
donnern	thunder
dösen	doze
dosieren	dose
downloaden	download
dozieren	pontificate
dramatisieren	dramatise
drängeln	jostle
drängen	urge
drechseln	turn
drehen	rotate
dreschen	thresh
dressieren	train
dribbeln	dribble
dringen	penetrate
driven (Golf)	driven
drohen	threaten
dröhnen	roar
drucken	print
drücken	push
drucksen	hum and haw
dübeln	plug
ducken	duck
duften	smell
dulden	tolerate
dümpeln	bob
düngen	fertilise
düpieren	dupe
duplizieren	duplicate
dürfen	dare
duschen	take a shower
E	
echauffieren	get worked up
ehren	honour
eilen	rush
ein Baby bekommen	have a baby
ein Feuer machen	light a fire
ein Rad wechseln	change a wheel

ein Tor schießen	score a goal
ein Zelt aufschlagen	pitch a tent
einbrechen	burgle
einbringen	bring
einbürgern	naturalise
einchecken	check in
eine Stelle bekommen	get a job
einen Dunk spielen	play a dunk
einen Flug buchen	book a flight
einen Rekord brechen	break a record
einfädeln	thread
einfangen	capture
einfrieren	freeze
eingießen	pour
einholen (Angeln)	reel in (fishing)
einigen	unite
einladen	invite
einlochen (Golf)	putting (golf)
einloggen	log in
einlösen	redeem
einschlafen	fall asleep
einschläfern	put to sleep
einschüchtern	intimidate
einstellen (Kamera)	focus (camera)
einstellen (Radio)	tune (radio)
eintopfen	pot
einweichen	soak
einwilligen	comply
einzahlen	pay in
eislaufen	ice-skate
eitern	fester
ekeln	disgust
emanzipieren	emancipate
emigrieren	emigrate
empfangen	receive
empfehlen	recommend
empfinden	feel
enden	end
entbinden	release
entfallen	be inapplicable
entfernen	remove
entgegnen	reply
entkommen	escape
entlarven	unmask
entlassen	dismiss
entlasten	relieve
entmündigen	incapacitate
entmutigen	dishearten
entrümpeln	tidy out
entsaften	extract juice
entschlacken	purify
entschuldigen	apologise
entwickeln	develop
erblassen	go pale
erbleichen	blanch
erblinden	go blind
erbosen	infuriate
erbrechen	vomit
erfahren	learn

erfinden	invent
erfragen	ask
erfrischen	refresh
ergänzen	add
ergeben	yield
ergreifen	seize
erhalten	receive
erheitern	amuse
erinnern	recall
erkalten	cool down
erkälten	catch a cold
erkennen	recognise
erklimmen	scale
erklingen	sound
erkranken	fall ill
erkunden	explore
erkundigen	inquire
erlauben	allow
erledigen	settle
erleichtern	ease
ermüden	tire
ermuntern	encourage
ernten	harvest
erobern	conquer
erschrecken	frighten
ersticken	choke
ertrinken	drown
erwidern	reply
essen	eat
evakuieren	evacuate
existieren	exist
explodieren	explode
exportieren	export
F	
fabrizieren	fabricate
fabulieren	spin a yarn
fächeln	fan
fädeln	thread
fahnden	search
fahren (selbst)	drive
fallen	fall
fällen	fell
fälschen	forge
falten	fold
fangen	catch
fangen (Kricket)	field
färben	dye
fassen	grasp
faszinieren	fascinate
faulenzen	laze
favorisieren	favour
fegen	sweep
fehlen	be lacking
feiern	celebrate
feilschen	haggle
fernsehen	watch television
fertigen	manufacture
fesseln	tie up

festhalten	hold tight
festmachen (Schiff)	moor (ship)
fetten	grease
filmen	film
finanzieren	finance
finden	find
fischen	fish
flammen	flame
flanieren	stroll
flehen	plead
fliegen	fly
fliehen	flee
fließen	flow
flirten	flirt
flöten	whistle
fluchen	curse
flüchten	flee
flüstern	whisper
föhnen	blow-dry
fokussieren	focus
folgen	follow
foltern	torture
fordern	demand
formulieren	formulate
forschen	research
fortfahren	proceed
fortgehen	leave
fortmüssen	have to go
fotografieren	photograph
fragen (abfragen)	question
frankieren	frank
freikommen	be freed
freilassen	set free
fremdgehen	cheat
freuen	look forward
frieren	freeze
frisieren	tweak
frittieren	deep-fry
frühstücken	have breakfast
frustrieren	frustrate
fühlen	feel
führen	lead
füllen	fill
funkeln	sparkle
funktionieren	function
fürchten	fear
füttern	feed
G	
gackern	cackle
gaffen	stare
gähnen	yawn
garantieren	guarantee
garen	cook
geben	give
geben (Kartenspiel)	deal (card games)
geboren werden	be born
gedenken	remember
gefährden	endanger

deutsch	english
gefallen	appeal
gefallen	please
gehen	go
gehen lassen (Teig)	prove (dough)
gehorchen	obey
gehören	belong
geigen	fiddle
geizen	be mean
gelingen	succeed
gelten	be valid
genesen	recover
genieren	be embarrassed
genießen	enjoy
genügen	suffice
gernhaben	be fond of
geschehen	happen
gesellen	join
gestalten	shape
gestatten	allow
gestikulieren	gesticulate
gewinnen	win
gewittern	be thundering
gewöhnen	accustom
gieren	yaw
gießen	pour
gießen	water
glänzen	shine
glasieren	glaze
glätten	smooth
glauben	believe
gleiten	slide
glitzern	glisten
glühen	glow
graben	dig
graduieren	graduate
grämen	grieve
gratulieren	congratulate
greifen	grab
grillen	grill
grinsen	grin
grölen	bawl
grübeln	ruminate
grummeln	rumble
grunzen	grunt
gruppieren	group
gruseln	get the creeps
grüßen	greet
gucken	watch
gurgeln	gargle
gurren	coo
H	
haben	have
hacken	hack
hageln	hail
häkeln	crochet
halbieren	halve
halluzinieren	hallucinate
halten (Fußball)	save

deutsch	english
hämmern	hammer
handeln	act
hangeln	move hand over hand
hängen	hang
hängen	pend
hantieren	handle
harken	rake
harmonieren	harmonize
hassen	hate
hauen	hit
heben	lift
heften	tack
hegen	tend
heilen	heal
heimfahren	go home
heimfliegen	fly home
heimkommen	come home
heimmüssen	have to go home
heiraten	marry
heißen	be called
heizen	heat
helfen	help
herabfallen	fall down
herausfinden	find out
hereinbitten	invite in
herfinden	find one's way
hergeben	give away
herkommen	approach
herrschen	reign
herüberbitten	ask over
herumfahren	drive around
herumgehen	walk around
herumlaufen	run around
herunterhängen	hang down
herunterladen	download
hervorheben	highlight
herzen	hug
hetzen	rush
heucheln	feign
heulen	howl
hexen	perform magic
hierherkommen	come here
hinabfahren	go down
hinabgehen	go down
hinaufbringen	take up
hinauffahren	drive up
hinaufgehen	go up
hinaufhelfen	give somebody a leg up
hinausfinden	find one's way out
hinausgehen	go out
hinauslassen	let out
hinbekommen	manage
hindern	prevent
hineinbitten	invite in
hineinlassen	let in
hinfahren	go
hinfallen	fall over
hinhalten	hold out
hinkommen	get there

hintereinanderfahren	drive one behind the other
hintereinandergehen	go one behind the other
hinterfragen	question
hinterherlaufen (Sport)	run after (sports)
hinüberhelfen	help over
hinunterfahren	go down
hinunterfallen	fall down
hinuntergehen	go down
hobeln	plane
hochbinden	tie up
hochbringen	bring up
hochfahren	go up
hochgehen	go up
hochheben	lift up
hochziehen	pull up
hocken	squat
hoffen	hope
höhnen	mock
holen	fetch
holpern	jolt
honorieren	reward
hopsen	hop
horchen	listen
hören	listen
hospitieren	sit in on
huldigen	pay homage to
humpeln	hobble
hungern	starve
hupen	honk
hüpfen	bounce
husten	cough

I

idealisieren	idealise
identifizieren	identify
ignorieren	ignore
illustrieren	illustrate
imitieren	imitate
immatrikulieren	matriculate
immigrieren	immigrate
immunisieren	immunise
impfen	vaccinate
implantieren	implant
imponieren	impress
importieren	import
improvisieren	improvise
in den Ruhestand treten	retire
in Ohnmacht fallen	faint
infizieren	infect
inhaftieren	imprison
inhalieren	inhale
injizieren	inject
innehalten	pause
ins Bett gehen	go to bed
inspirieren	inspire
installieren	install
inszenieren	stage
integrieren	integrate
interessieren	interest

interviewen	interview
investieren	invest
irren	be wrong
irritieren	irritate
isolieren	isolate

J

jagen	chase
jammern	whine
jäten	weed
jauchzen	exult
jaulen	yowl
jobben	work
joggen	jog
jonglieren	juggle
jubeln	cheer
jubilieren	rejoice
jucken	itch

K

kacheln	tile
kalkulieren	calculate
kämmen	comb
kämpfen	fight
kampieren	camp
kapitulieren	surrender
kaputtgehen	break down
kassieren	collect
katapultieren	catapult
kategorisieren	categorise
kauen	chew
kauern	crouch
kaufen	buy
kegeln	bowl
kehren	sweep
keimen	germinate
kellnern	wait on tables
keltern	press
kennen	know
kentern	capsize
kichern	giggle
kicken	kick
kippen	tilt
kitzeln	tickle
klagen	complain
klappen	fold
klappern	rattle
klären	clarify
klargehen	be allright
klarkommen	get along
klatschen	clap
kleben	stick
kleckern	spill
kleiden	clothe
klemmen	jam
klettern	climb
klingeln	ring
klingen	sound
klopfen	beat

knabbern	nibble
knacken	crack
knallen	pop
kneifen	pinch
kneten	knead
knobeln	puzzle
knutschen	smooch
köcheln lassen	simmer
kochen	cook
ködern	bait
kombinieren	combine
kommen	come
kommentieren	comment
kommunizieren	communicate
komponieren	compose
kondolieren	condole
konfigurieren	configure
konfiszieren	confiscate
konjugieren	conjugate
konkretisieren	concretise
konkurrieren	compete
können	can
konservieren	preserve
konspirieren	conspire
konstatieren	be stated
konsternieren	consternate
konstruieren	construct
konsultieren	consult
konsumieren	consume
kontaktieren	contact
kontrollieren	check
konzipieren	design
koordinieren	coordinate
köpfen (Fußball)	head (football)
köpfen (Pflanze)	deadhead (plants)
kopieren	copy
korrespondieren	correspond
korrigieren	correct
kosten	cost
kostümieren	dress up
krabbeln	crawl
krachen	crash
krampfen	clench
kränken	offend
kratzen	scrape
kreischen	screech
kribbeln	tingle
kriechen	crawl
kriegen	get
kritisieren	criticise
krümeln	crumble
kühlen	cool
kultivieren	cultivate
kündigen	cancel
kurieren	cure
kürzen	shorten
kuscheln	cuddle
küssen	kiss

L

lächeln	smile
lachen	laugh
lackieren	paint
laden	load
lagern	store
lallen	babble
lamentieren	lament
landen	land
lärmen	make a noise
lassen	let
laufen	run
lauschen	listen
läuten	ring
leasen	lease
leben	live
lecken	lick
leeren	empty
legen	lay
legitimieren	legitimise
lehren	teach
leiden	suffer
leihen	borrow
leimen	glue
leisten	afford
leiten	guide
lenken	steer
lernen	learn
lesen	read
leuchten	shine
leugnen	deny
lieben	love
liefern	supply
liegen	lie
liegenbleiben	lie
limitieren	limit
lindern	alleviate
liquidieren	liquidate
lispeln	lisp
lizenzieren	license
loben	praise
locken	lure
lohnen	be worthwhile
lokalisieren	locate
losbinden	untie
löschen	put out
losfahren	drive off
losfliegen	take wing
losgehen	start
loslassen	let go
losmüssen	have to go
löten	solder
lüften	ventilate
lügen	lie
lutschen	suck

M

machen	do
mähen	mow

mahnen	urge
malen	paint
managen	manage
mangeln	lack
manipulieren	manipulate
marinieren	marinate
markieren	mark
marschieren	march
maskieren	mask
massieren	massage
mäßigen	moderate
mauern	build
maximieren	maximise
meckern	beef
meditieren	meditate
meiden	avoid
meinen	mean
melden	report
melken	milk
merken	remember
messen	measure
metallisieren	metallise
miauen	meow
mieten	rent
mindern	reduce
mischen (Karten)	shuffle (cards)
missfallen	displease
missionieren	proselytise
misslingen	fail
misslingen	miscarry
mit dem Netz fangen	net
mit Kopfdünger düngen	top dress
mit Rasen bedecken	turf
mit Zahnseide reinigen	floss
mitbekommen	realise
mitbringen	bring
mitdenken	follow
mithelfen	help
mitkommen	come along
mixen	mix
möblieren	furnish
möchten	want
modellieren	model
modeln	model
moderieren	moderate
modern	rot
modernisieren	modernise
mogeln	cheat
mögen	like
montieren	mount
moralisieren	moralise
morden	murder
motivieren	motivate
motzen	grouse
muhen	moo
mühen	toil
mulchen	mulch
multiplizieren	multiply
murmeln	mutter

murren	grumble
musizieren	make music
müssen	have to

N

nachdenken	think
nachdunkeln	darken
nachfahren	follow
nachfragen	inquire
nachgeben	give in
nachgehen	pursue
nachhaken	dig deeper
nachkommen	fulfill
nachschneiden	trim
nageln	nail
nagen	gnaw
nähen	sew
nähern	near
naschen	nibble
nässen	wet
navigieren	navigate
necken	tease
negieren	negate
nehmen	take
neiden	envy
nennen	name
nerven	annoy
nicken	nod
niederkommen	give birth
nieseln	drizzle
niesen	sneeze
normieren	standardise
notieren	note
nötigen	force
Notizen machen	make notes
nummerieren	number
nuscheln	mumble
nutzen	use

O

obduzieren	autopsy
observieren	observe
öffnen	open
ohrfeigen	slap
ölen	oil
operieren	operate
opfern	sacrifice
optimieren	optimise
ordnen	arrange
organisieren	organize
orientieren	orient

P

pachten	lease
packen	pack
paddeln	paddle
panieren	bread
parfümieren	perfume
parken	park

passen	match
passieren	happen
pauken	cram
pausieren	pause
peinigen	torment
peitschen	whip
pendeln	commute
perfektionieren	perfect
persiflieren	satirize
petzen	tell
pfeffern	pepper
pfeifen	whistle
pflanzen	plant
pflegen	maintain
pflücken	pick
pflügen	plough
pfropfen	graft
piepsen	chirp
pilgern	make a pilgrimage
planen	plan
platzen	burst
platzieren	place
plaudern	chat
plombieren	seal
plündern	loot
pochieren	poach
polarisieren	polarise
polemisieren	polemicise
polieren	polish
poltern	rumble
posieren	pose
positionieren	position
postieren	post
prahlen	brag
praktizieren	practice
präsentieren	present
prellen	cheat
pressen	press
privatisieren	privatise
proben	rehearse
probieren	try
problematisieren	problematize
produzieren	produce
profilieren	profile
profitieren	benefit
prognostizieren	predict
programmieren	program
prosten	say cheers
protestieren	protest
protokollieren	record
protzen	show off
provozieren	provoke
prozessieren	litigate
prüfen	check
prügeln	trash
pubertieren	reach puberty
publizieren	publish
pudern	powder
pulsieren	pulsate

pumpen	pump
pusten	blow
putzen	clean
puzzeln	puzzle
Q	
quälen	torture
qualifizieren	qualify
qualmen	smoke
quantifizieren	quantify
quatschen	gossip
quengeln	whine
quetschen	squeeze
quietschen	creak
quirlen	whisk
quittieren	quit
R	
rächen	avenge
Rad fahren	cycle
radieren	erase
rahmen	frame
randalieren	riot
rasen	speed
rasieren	shave
rasten	rest
raten	advise
rationieren	ration
rätseln	puzzle
rauben	rob
rauchen	smoke
räuchern	smoke
raufen	scuffle
rauschen	rustle
reagieren	react
realisieren	realise
rebellieren	rebel
recherchieren	research
rechnen	count
recyceln	recycle
reden	talk
reduzieren	reduce
regeln	settle
regieren	govern
registrieren	register
regnen	rain
regulieren	regulate
rehabilitieren	rehabilitate
reiben	grate
reichen	hand
reimen	rhyme
reinigen	cleanse
reisen	travel
reißen	tear
reiten	ride
reizen	irritate
rekeln	loll
reklamieren	complain
relativieren	qualify

relegieren	expel
rennen	run
renovieren	renovate
reparieren	repair
repräsentieren	represent
reservieren	reserve
respektieren	respect
restaurieren	restore
resultieren	result
resümieren	summarise
retten	rescue
revanchieren	return the favour
revoltieren	revolt
richten	judge
riechen	smell
ringen	wrestle
rinnen	trickle
riskieren	risk
ritualisieren	ritualise
ritzen	scratch
rivalisieren	rival
rodeln	toboggan
rollen	roll
rosten	rust
rösten	roast
rückwärtsfahren	reverse
rückwärtsgehen	walk backwards
rudern	row
rufen	call
ruhen	rest
rühren	stir
ruinieren	ruin
rupfen	pluck
rutschen	slide
rütteln	shake
S	
sabbern	drool
sabotieren	sabotage
säen	sow
sagen	say
sägen	saw
salben	anoint
salzen	salt
sammeln	collect
sanieren	redevelop
sanktionieren	sanction
säubern	clean
schaden	harm
schädigen	damage
schaffen	create
schälen	peel
schalten	switch
schämen	be ashamed
schätzen	estimate
schauen	look
schaukeln	swing
scheinen	appear
scheitern	fail

schelten	scold
schenken	give
scheppern	clank
scherzen	joke
scheuchen	shoo
schichten	stack
schicken	send
schieben	push
schiefgehen	go wrong
schießen	shoot
schildern	portray
schimmeln	mould
schimpfen	rant
schlafen	sleep
schlagen	hit
schlagen (mit dem Schneebesen)	whisk
schlagen (Sport)	bat (sport)
schlechtgehen	do badly
schleichen	creep
schleifen (schärfen)	grind (sharpen)
schlemmen	feast
schlendern	stroll
schleppen	tow
schleudern	spin
schließen	close
Schlittschuh laufen	skate
schluchzen	sob
schlucken	swallow
schlummern	slumber
schlüpfen	hatch
schlürfen	slurp
schmecken	taste
schminken	make up
schmirgeln	sand
schmücken	decorate
schnarchen	snore
schnarren	buzz
schnattern	chatter
schneiden (mit der Schere)	cut (with scissors)
schneiden (Obst)	slice (fruit)
schnitzen	carve
schnuppern	sniff
schnurren	purr
schockieren	shock
schonen	protect
schrauben	screw
schreiben	write
schreien	shout
schrubben	scrub
schuften	grind away
schulden	owe
schulen	train
schummeln	cheat
schütteln	shake
schütten	pour
schützen	protect
schwächen	weaken
schwärmen	swarm

schwatzen	gossip	spotten	scoff
schweigen	be silent	sprayen	spray
schwimmen	swim	sprechen	speak
schwindeln	cheat	springen	jump
schwingen	swing	springen (Schwimmen)	dive
schwören	swear	springen lassen (Sport)	bounce
segelfliegen	glide	sprinten	sprint
segeln	sail	spritzen	splash
sehen	see	sprudeln	bubble
sehnen	crave	sprühen	spray
sein	be	spucken	spit
sein Testament machen	make a will	spuken	haunt
seinlassen	stop	spülen (Geschirr)	wash
senden	send	spülen (Wäsche)	rinse
senden (TV)	broadcast	spüren	feel
separieren	separate	stabilisieren	stabilise
servieren	serve	stagnieren	stagnate
setzen	set	stampfen	stamp
seufzen	sigh	stänkern	stir things up
sich aufwärmen (Sport)	warm up	stärken	strengthen
sich übergeben	vomit	starten (Flugzeug)	take off (plane)
sich verlieben	fall in love	stattfinden	take place
sichergehen	play it safe	Staub wischen	dust
sichern	save	staunen	be astonished
sieben (Erde)	sieve (earth)	stechen	stab
sieben (Mehl)	sift (flour)	steckenbleiben	get stuck
sieden	boil	stehen	stand
siegen	win	stehenbleiben	stand still
signalisieren	signal	stehlen	steal
signieren	sign	steigen	climb
simulieren	simulate	stellen	put
singen	sing	stempeln	stamp
sinken	sink	sterben	die
sitzen	sit	sterilisieren	sterilise
skaten	skate	steuern	govern
skizzieren	sketch	sticken	embroider
solidarisieren	solidarise	stillen	breast-feed
sollen	be expected	stillhalten	keep still
sonnen	sunbathe	stimulieren	stimulate
sonnenbaden	sunbathe	stinken	stink
sorgen	care	stöhnen	moan
sortieren	sort	stolpern	stumble
sozialisieren	socialise	stopfen	darn
spachteln	fill	stoppen	stop
spähen	peek	stören	bother
sparen	save up	stornieren	cancel
spaßen	joke	stoßen	push
spazieren	walk	strafen	punish
speichern	save	strahlen	shine
speisen	dine	strampeln	kick
spekulieren	speculate	stranden	be stranded
spenden	donate	strapazieren	strain
spendieren	spend	straucheln	stumble
spezialisieren	specialise	streben	strive
spezifizieren	specify	strecken	stretch
spiegeln	reflect	streicheln	stroke
spielen	play	streichen	cancel
spinnen	weave	streiten	fight
spionieren	spy	stressen	stress

streuen	sprinkle
stricken	knit
strukturieren	structure
studieren	study
stürmen	storm
stürzen	overthrow
stützen	support
stutzen (Pflanze)	trim
subtrahieren	subtract
subventionieren	subsidise
suchen	search
suggerieren	suggest
summieren	add up
sündigen	sin
surfen	surf
suspendieren	suspend
symbolisieren	symbolise
sympathisieren	sympathise
systematisieren	systematise
T	
tabellarisieren	tabulate
tabuisieren	taboo
tadeln	rebuke
taktieren	beat time
tanken	refuel
tanzen	dance
tapezieren	wallpaper
tarnen	camouflage
tasten	grope
tätowieren	tattoo
tauchen	dive
tauen	thaw
taufen	baptise
taumeln	stagger
tauschen	exchange
täuschen	deceive
teeren	tar
teilen	divide
teilhaben	share
teilnehmen	attend
telefonieren	phone
tendieren	to tend
terrorisieren	terrorise
testen	test
texten	text
thematisieren	address
theoretisieren	theorise
therapieren	treat
thronen	be enthroned
ticken	tick
tippen	type
tischlern	carpenter
toasten	toast
toben	rage
tolerieren	tolerate
töten	kill
traben	trot
tragen	wear

trainieren	practice
transferieren	transfer
transpirieren	perspire
transplantieren	transplant
transportieren	transport
tratschen	tattle
trauen	trust
trauern	mourn
träumen	dream
treffen	hit
treiben	float
trennen	separate
treten	kick
tricksen	trick
trinken	drink
triumphieren	triumph
trocknen	dry
trödeln	linger
trompeten	trumpet
trösten	comfort
tüfteln	fiddle about
tun	do
turnen	do gymnastics
turteln	bill and coo
tuscheln	whisper
tyrannisieren	bully
U	
üben	practice
überbacken	gratinate
überbieten	outdo
überbringen	deliver
überdenken	reconsider
überfahren	run over
überfallen	raid
überholen	overtake
übernachten	stay overnight
überqueren	cross
überraschen	surprise
übertrumpfen	outdo
überwältigen	overwhelm
überwintern	hibernate
übrigbleiben	remain
umarmen	embrace
umfahren	bypass
umfallen	fall over
umgeben	surround
umhängen	put on
umkommen	perish
umpflanzen	transplant
umsteigen	change
unterbinden	stop
unterhalten	entertain
unterliegen	be subject to
urinieren	urinate
V	
validieren	validate
variieren	vary

vegetieren	vegetate
verallgemeinern	generalise
veralten	become obsolete
veranschaulichen	illustrate
verargen	hold against
verarmen	become impoverished
verbarrikadieren	barricade
verbergen	hide
verbiegen	bend
verbieten	ban
verbinden	connect
verbittern	exacerbate
verblassen	fade
verbrennen	burn
verbrüdern	fraternise
verdächtigen	suspect
verdauen	digest
verdenken	blame
verderben	spoil
verdeutlichen	clarify
verdoppeln	double
verdorren	wither
verdrecken	get dirty
verdummen	dull somebody's mind
verdunkeln	darken
verdünnen	dilute
verdüstern	darken
verdutzen	baffle
veredeln	ennoble
vereidigen	swear
vereinen	unite
vereinfachen	simplify
verengen	constrict
verewigen	immortalise
verfahren	proceed
verfallen	expire
verfinstern	eclipse
verfrachten	ship
verfugen	grout
vergeben	forgive
vergegenwärtigen	visualise
vergelten	repay
vergessen	forget
vergeuden	waste
vergewaltigen	rape
vergießen	shed
vergiften	poison
vergleichen	compare
vergnügen	delectate
vergöttern	deify
vergraben	bury
vergrößern	enlarge
vergüten	remunerate
verhalten	behave
verhauen	beat up
verheimlichen	conceal
verherrlichen	glorify
verifizieren	verify
verinnerlichen	internalise

verjüngen	rejuvenate
verkleinern	reduce
verknappen	run short
verkneifen	bite back
verkommen	decay
verkörpern	embody
verkriechen	creep
verladen	load
verlängern (Bibliothek)	extend
verlassen	leave
verlaufen	run
verleihen	lend
verletzen	hurt
verleumden	slander
verlieren	lose
verlorengehen	get lost
verlottern	go to rack
vermählen	wed
vermarkten	market
vermasseln	mess up
vermehren (Ableger nehmen)	propagate
vermeiden	avoid
vermiesen	spoil
verminen	mine
vermummen	wrap up
vermuten	suspect
vernachlässigen	neglect
vernarben	heal up
vernetzen	network
vernichten	destroy
veröden	become desolate
verpatzen	mess up
verpflichten	oblige
verputzen	plaster
verramschen	flog
verrenken	dislocate
verringern	reduce
verrühren	mix
versanden	silt
verschandeln	ruin
verschiffen	ship
verschlimmern	aggravate
verschönern	beautify
verschwenden	waste
versöhnen	reconcile
verspäten	be delayed
verständigen	notify
verstauben	gather dust
versteifen	stiffen
verstopfen	block
verstümmeln	maim
verstummen	fall silent
verteidigen	defend
vertonen	set to music
verübeln	take amiss
verulken	josh
verunglimpfen	denigrate
vervielfältigen	copy
verwaisen	become an orphan

verwesen	decay
verwirren	confuse
verwittern	weather
verwöhnen	spoil
verwunden	wound
verwüsten	devastate
verzetteln	fritter away
verzichten	renounce
verzinsen	pay interest on
vespern	have a snack
vibrieren	vibrate
vierteln	divide into four
visualisieren	visualize
voltigieren	do trick riding
vom Abschlag spielen (Golf)	tee-off (golf)
von Bord gehen	disembark
vorangehen	precede
vorankommen	move forward
vorbeibringen	drop off
vorbeifahren	pass
vorbeigehen	pass
vorbestellen	reserve
vorenthalten	withhold
vorfahren	move forward
vorfallen	happen
vorfinden	find
vorgehen	proceed
vorgreifen	anticipate
vorhaben	plan
vorhängen	hang in front
vorkommen	happen
vorladen	summon
vorlassen	let go first
vorlaufen	run ahead
vorlesen	read out
vorübergehen	pass
W	
wabern	swirl
wachen	watch
wachsen	grow
wackeln	wiggle
wagen	dare
wählen (Telefon)	dial
wahrhaben	acknowledge
wandern	hike
wanken	sway
wärmen	warm
warnen	warn
warten	wait
waschen	wash
Wasser treten	tread water
waten	wade
watscheln	waddle
wechseln	switch
wecken	wake up
wedeln	wag
wegbringen	bring away
wegfahren	drive away

wegfliegen	fly away
weggehen	go away
weglaufen	run away
wegmüssen	have to go
wehren	fight back
weigern	refuse
weinen	cry
weiterempfehlen	recommend
weiterkommen	progress
welken	wither
wenden	turn
werben	advertise
werden	become
werfen	throw
werfen (Baseball)	pitch
werfen (Kricket)	bowl
wetten	bet
wettlaufen	run a race
wickeln	wrap
widerstehen	withstand
widmen	devote
wiederbekommen	get back
wiederbringen	bring back
wiedererkennen	recognise
wiederfinden	find again
wiedergeben	reproduce
wiedergewinnen	reclaim
wiederkommen	return
wiegen	weigh
wildern	poach
wimmeln	abound
wimmern	whimper
windeln	put diapers on
winden	wreathe
winkeln	bend in an angle
winken	wave
winseln	whimper
wippen	bob up and down
wirbeln	swirl
wirken	act
wischen	wipe
wissen	know
witzeln	joke
wohnen	live
wollen	want
wringen	wring
wuchern	proliferate
wuchten	heave
wühlen	rummage
wummern	boom
wundern	surprise
wundliegen	get bedsores
wünschen	wish
würdigen	appreciate
würfeln	roll the dice
würgen	retch
wurzeln	root
würzen	spice up
wuscheln	tousle

wuseln	scurry
wüten	rage
Z	
zahlen	pay
zählen	count
zähmen	tame
zahnen	teethe
zanken	bicker
zappeln	wriggle
zaubern	conjure
zaudern	hesitate
zeichnen	draw
zeigen	show
zelebrieren	celebrate
zelten	camp
zementieren	cement
zensieren	censor
zentralisieren	centralize
zentrieren	centre
zerbeißen	chew
zerbersten	burst
zerbrechen	break
zerfallen	disintegrate
zerfetzen	shred
zergehen	melt
zerkleinern	crush
zerknautschen	crumple
zerlaufen	melt
zerren	tug
zertifizieren	certify
zertrümmern	smash
zetern	clamour
zeugen	testify
ziegeln	brick
ziehen	pull
ziehen (Pflanze)	grow
zielen	aim
zieren	adorn
zimmern	make from wood
zischen	hiss
zitieren	quote
zittern	tremble
zögern	hesitate
zubeißen	bite
zubinden	tie
zublinzeln	wink at
züchten	cultivate
züchtigen	chastise
zucken	twitch
zücken	whip out
zuckern	sugar
zueinanderfinden	find each other
zufallen	shut
zufriedengeben	be satisfied
zufriedenlassen	leave alone
zufrieren	freeze
zugeben	admit
zugreifen	access

zugutehalten	make allowances for
zuhören	listen
zulassen	let
zumuten	expect something of somebody
zupfen	pluck
zur Schule kommen	start school
zurechtkommen	cope
zureden	persuade
zürnen	be angry
zurückbringen	bring back
zurückfinden	find one's way back
zurückfliegen	fly back
zurückgeben	give back
zurückgehen	return
zurückhaben	have back
zurückkommen	come back
zurücklaufen	run back
zurückliegen	lag behind
zusammenfinden	come together
zusammenhängen	cohere
zuwenden	devote
zwängen	force
zweifeln	doubt
zwicken	pinch
zwingen	force
zwinkern	wink

English index • englisches Register

english

english

english

english (vertical side text)

english

english

english

english

english

english

english

english

english

english

German index • deutsches Register

deutsch

deutsch

deutsch

Hebamme f 53
Hebel m 61, 150
heben 329
Heck n 210, 240
Hecke f 85, 90, 182
Heckenschere f 89
Hecktür f 198
Hefe f 138
Heft n 163
heften 277, 329
Hefter m 173
hegen 91, 329
Heidekraut n 297
Heidelbeere f 127
Heilbuttfilet n 120
heilen 329
Heilkraut n 55
heimfahren 329
heimfliegen 329
heimkommen 329
heimmüssen 329
Heimwerkstatt f 78
heiraten 26, 329
heiß 286, 321
heißen 329
Heißluftballon m 211
Heißwasserhahn m 72
Heizdecke f 71
Heizelement n 61
heizen 329
Heizkörper m 60
Heizlüfter m 60
Heizofen m 60
Heizungsregler m 201
helfen 329
hell 41, 321
Helm m 220, 228
Hemd n 32
Hemdchen n 30
Henkel m 106
herabfallen 329
herausfinden 329
Herbizid n 183
Herbst m 31, 307
Herde f 183
hereinbitten 329
herfinden 329
hergeben 329
Hering m 266
herkommen 329
Herr m 23
Herrenbekleidung f
32, 105
Herrenfriseur m 39
Herrenhalbschuh m
37
herrschen 329
herüberbitten 329
herumfahren 329
herumgehen 329

herumlaufen 329
herunterhängen 329
herunterladen 177,
329
hervorheben 329
Herz n 18, 119, 122,
273
Herz- und Gefäßsys-
tem n 19
herzen 329
Herzinfarkt m 44
Herzmuschel f 121
hetzen 329
Heu n 184
heucheln 329
heulen 329
Heuschnupfen m 44
Heuschrecke f 295
heute 306
hexen 329
Hieb m 237
hier 320
hier essen 154
hierherkommen 329
Hi-Fi-Anlage f 268
Hilfskoch m 152
Himalaja m 313
Himbeere f 127
Himbeerkonfitüre f
134
hinabfahren 329
hinabgehen 329
hinauf 320
hinaufbringen 329
hinauffahren 329
hinaufgehen 329
hinaufhelfen 329
hinausfinden 329
hinausgehen 329
hinauslassen 329
hinbekommen 329
hindern 329
Hindernis n 243
hineinbitten 329
hineinlassen 329
hinfahren 329
hinfallen 329
hinhalten 329
hinkommen 329
hinter 320
hintereinanderfahren
330
hintereinandergehen
330
hinterfragen 330
hinterherlaufen (Sport)
229, 330
Hinterrad n 197
hinüberhelfen 330
hinunter 320

hinunterfahren 330
hinunterfallen 330
hinuntergehen 330
Hirsch m 291
Hirse f 130
historisch 261
HNO-Abteilung f 49
Hobel m 81
hobeln 79, 330
hoch 271, 321
hochbinden 91, 330
hochbringen 330
hochfahren 330
Hochfrisur f 39
hochgehen 330
Hochgeschwindig-
keitszug m 208
hochglanz 271
hochheben 330
Hochschule f 168
Hochseefischerei f
245
Hochsprung m 235
Höchstlademarke f
214
Hochzeit f 26, 35
Hochzeitsfeier f 26
Hochzeitskleid n 35
Hochzeitsreise f 26
Hochzeitstag m 26
Hochzeitstorte f 141
hochziehen 251, 330
hocken 330
Höcker m 291
Hockey n 224
Hockeyball m 224
Hockeyschläger m
224
Hoden m 21
Hodensack m 21
Hof m 58, 84, 182
hoffen 330
Höhe f 165, 211
Höhenleitwerk n 210
Höhle f 284
höhnen 330
Hole-in-One n 233
holen 330
holpern 330
Holz n 79, 233, 275
Holzarbeit f 275
Holzblasinstrumente
f 257
Holzbohrer m 80
Holzkohle f 266
Holzleim m 78
Holzlöffel m 68
Holzspäne m 78
homogenisiert 137
Homöopathie f 55

Honduras n 314
Honig m 134
honorieren 330
hopsen 330
horchen 330
hören 330
Hörer m 99
Hormon n 20
Horn n 257, 291
Hornhaut f 51
Horrorfilm m 255
Hörsaal m 169
Hose f 32, 34
hospitieren 330
Hotdog m 155
Hotel n 100, 264
Hubschrauber m 211
Huf m 242, 291
Hufeisen n 242
Hüfte f 12
Hügel m 284
Huhn n 119, 185
Hühnerei n 137
Hühnerfarm f 183
Hühnerstall m 185
huldigen 330
Hülse f 130
Hülsenfrüchte f 130
Hummer m 121, 295
humpeln 330
Hund m 290
hundert 308
Hundeschlittenfahren
n 247
hungern 330
hungrig 64
Hupe f 201, 204
hupen 330
hüpfen 330
Hürdenlauf m 235
Hurrikan m 287
husten 330
Husten m 44
Hustenmedikament
n 108
Hut m 36
Hüttenkäse m 136
Hydrant m 95
Hypnotherapie f 55
hypoallergen 41
Hypotenuse f 164
Hypothek f 96

I

idealisieren 330
identifizieren 330
Igel m 290
ignorieren 330
illustrieren 330
Imbissstand m 154

Imbissstube f 154
imitieren 330
immatrikulieren 330
immer 320
immergrün 86
immigrieren 330
Immobilienmakler m
115
Immobilienmaklerin
f 189
immunisieren 330
impfen 330
Impfung f 45
implantieren 330
imponieren 330
importieren 330
impotent 20
improvisieren 330
in 320
in den Ruhestand tre-
ten 330
in Ohnmacht fallen
330
Indien n 318
indigoblau 274
Indischer Ozean m
313
Indonesien n 319
Industriegebiet n 299
Infektion f 44
infizieren 330
Information f 261, 303
Ingwer m 125, 133
inhaftieren 330
Inhalationsapparat
m 44
inhalieren 330
Inhalierstift m 109
injizieren 330
Inlandsflug m 212
Inlinerfahren n 263
Inlineskaten n 249
innehalten 330
Innenausstattung f
200
Innenfeld n 228
Innenstadt f 299
Innereien f 118
innerhalb 320
Inning n 228
ins Bett gehen 71,
330
Insektenschutzmittel
n 108
Insektenspray n 267
Insel f 282
Inspektor m 94
inspirieren 330
installieren 177, 330
Instrument n 258

deutsch

deutsch

Orangenmarmelade f 134, 156
Orangensaft m 149, 151
Orchester n 254, 256
Orchestergraben m 254
Orchidee f 111
ordnen 332
Ordner m 177
Oregano m 133
Organ n 18
organisieren 332
orientieren 332
Origami n 275
ornamental 87
Orthopädie f 49
Öse f 37, 276
Osten m 312
Osteopathie f 54
Osterglocke f 111
Ostern n 27
Österreich n 316
Ostsee f 313
Otter m 290
Ouvertüre f 256
Oval n 164
Overall m 83
Ozean m 282
Ozeandampfer m 214
Ozeanien n 319
Ozonschicht f 286

P

Paar n 24
pachten 332
Päckchen n 112, 311
packen 332
Paddel n 241
paddeln 332
Page m 100
Pagenkopf m 39
Pak-Choi m 123
Paket n 99
Pakistan n 318
Palette f 186, 274
Palme f 86, 296
Palmherz m 122
Panama n 314
Pandabär m 291
panieren 332
Paniermehl n 139
Panne f 203
Panzer m 293
Papagei m 293
Papaya f 128
Papierbehälter m 172
Papierklammer f 173
Papierkorb m 172, 177

Papierserviette f 154
Papiertaschentuch n 108
Papiertaschentuch-schachtel f 70
Pappe f 275
Pappel f 296
Pappmaschee n 275
Paprika f 124
Paprika m 132
Papua-Neuguinea n 319
Par n 233
Paraguay n 315
parallel 165
Parallelogramm n 164
Paranuss f 129
Parfum n 41
Parfümerie f 105
parfümieren 332
Park m 261, 262
parken 195, 332
Parkett n 254
Parkplatz m 298
Parkuhr f 195
Parkverbot n 323
Parmesan m 142
Partner m 23
Partnerin f 23
Pass m 213, 223, 226
Passagier m 216
Passagierhafen m 216
Passah n 27
passen 220, 221, 333
passieren 333
Passionsfrucht f 128
Passkontrolle f 213
Passwort n 90
Pastellstift m 274
Pastete f 142, 143, 156, 158
pasteurisiert 137
Pastinake f 125
Patchwork n 277
Pathologie f 49
Patient m 48
Patientenkurve f 48
Patientenstuhl m 50
Patientenzimmer n 48
Patientin f 45
Patiogarten m 84
pauken 333
Pause f 254, 269
Pausenzeichen n 256
pausieren 333
Pay-Kanal m 269
Pazifischer Ozean m 312
Pecannuss f 129
Pedal n 206

Pediküre f 41
Peeling machen 41
peinigen 333
peitschen 333
Pelikan m 292
pendeln 333
Pendler m 208
Penis m 21
Peperoni f 124, 143
Peperoniwurst f 142
perfektionieren 333
Pergola f 84
Periduralanästhesie f 52
Periodikum n 168
Perlenkette f 36
persiflieren 333
Personal n 175
Personalabteilung f 175
Personenwaage f 45
Peru n 315
Perücke f 39
Pessar n 21
Pestizid n 89, 183
Petersilie f 133
Petrischale f 166
petzen 333
Pfannengericht n 158
Pfannenwender m 68
Pfannkuchen m 157
Pfau m 293
Pfeffer m 64, 152
Pfefferkorn n 132
Pfefferminz n 113
Pfefferminztee m 149
pfeffern 333
Pfeife f 112
pfeifen 333
Pfeil m 249
Pfeiler m 300
Pferch m 185
Pferd n 185, 235, 242
Pferderennen n 243
Pferdeschwanz m 39
Pferdestall m 243
Pfingstrose f 111
Pfirsich m 126, 128
pflanzen 183, 333
Pflanzen f 296
Pflanzenarten f 86
Pflanzenöl n 135
Pflanzenschildchen n 89
Pflanzschaufel f 89
Pflaster n 47
Pflaume f 126
pflegen 333
pflücken 91, 333
pflügen 183, 333

pfropfen 91, 333
Pfund n 310
Phantombild n 181
Philippinen 319
Philosophie f 169
Physik f 162, 169
Physiotherapie f 49
Picknick n 263
Picknickbank f 266
Picknickkorb m 263
piepsen 333
Pier m 217
Pik n 273
Pikkoloflöte f 257
Pilates n 251
pilgern 333
Pille f 21
Pilot m 190, 211
Pilz m 125
Piment m 132
PIN-Code m 96
Pinguin m 292
Piniennuss f 129
Pinne f 240
Pinnwand f 173
Pinsel m 274
Pint n 311
Pinzette f 40, 47, 167
Pipette f 167
Pistazie f 129
Piste f 247
Pistole f 94
Pitabrot n 139
Pizza f 154, 155
Pizzabelag m 155
Pizzeria f 154
Plädoyer n 180
Plakat n 255
Plakatfarbe f 274
planen 333
Planet m 280, 282
Planschbecken n 263
Plastiktüte f 122
plastische Chirurgie f 49
Plateau n 284
Plateauschuh m 37
Platin n 289
Platte f 85, 283
Plattenspieler m 268
Platz m 299
Platzanweiser m 255
platzen 333
platzieren 333
Platzverweis m 223
plaudern 333
Plazenta f 52
plombieren 333
plündern 333
plus 165

Pluspol m 167
Pluto m 280
pochieren 67, 333
pochiert 159
Podium n 256
Poker n 273
Pol m 60, 282
polarisieren 333
Polarkreis m 283
Polarlicht n 286
Polaroidkamera f 270
polemisieren 333
Polen n 316
polieren 77, 333
Politologie f 169
Politur f 77
Polizei f 94
Polizeiauto n 94
Polizeiwache f 94
Polizist m 94, 189
Poller m 214, 298
Polo n 243
Polster n 224
poltern 333
Polyester m 277
Pommes frites 154
Poolbillard n 249
Popcorn n 255
Popmusik f 259
Pore f 15
Port m 176
Portefeuille n 97
Portion f 64
Portionierer m 68
Portemonnaie n 37
Portokosten 98
Portugal n 316
Portwein m 145
Porzellan n 105
Posaune f 257
Pose f 244
posieren 333
positionieren 333
Post f 98
Postanweisung f 98
Postbeamte m 98
Posteingang m 177
postgraduiert 169
postieren 333
Postkarte f 112
Postleitzahl f 98
Postsack m 98
Poststempel m 98
Posttasche f 190
Potpourri n 111
prahlen 333
praktizieren 333
Praline f 113
Präsentation f 174
präsentieren 333

deutsch

deutsch

acknowledgements • Dank

DORLING KINDERSLEY dankt Tracey Miles und Christine Lacey für die Design-Assistenz, Georgina Garner für ihre redaktionelle und administrative Unterstützung, Sonia Gavira, Polly Boyd und Cathy Meeus für die redaktionelle Hilfe und Claire Bowers für die Erstellung des Bildnachweises.

Der Verlag dankt den folgenden Personen und Organisationen für die freundliche Genehmigung zum Abdruck ihrer Bilder:

(Abkürzungen: o=oben, u=unten, M=Mitte, g=ganz, l=links, r=rechts, o=oben)

123RF.com: Andriy Popov 34ol; Daniel Ernst 179oM; Hongqi Zhang 24clo. 175Mr; Ingvar Bjork 60M; Kobby Dagan 259M; leonardo255 269M; Liubov Vadimovna (Luba) Nel 39Mlo; Ljupco Smokovski 75Mru; Oleksandr Marynchenko 60ul; Olga Popova 33M; oneblink 49uM; Racorn 162tl; Robert Churchill 94M; Roman Gorielov 33uM; Ruslan Kudrin 35uM, 35ur; Subbotina 39Mro; Sutichak Yachaingkham 39oM; Tarzhanova 37oM; Vitaly Valua 39ol; Wavebreak Media Ltd 188ul; Wilawan Khasawong 75Mu; **Action Plus:** 224uM; **Alamy Images:** 154o; A.T. Willett 287uMl; Alex Segre 105Mo, 105Mu, 195Ml; Ambrophoto 24Mro; Blend Images 168Mr; Cultura RM 33r; Doug Houghton 107gur; Ekkapon Sriharun 172ul; Hugh Threlfall 35ol; 176or; Ian Allenden 48ur; Ian Dagnall (iPod is a trademark of Apple Inc., registered in the U.S. and other countries) 268oM, 270o; Ievgen Chepil 250uM; imagebroker 199ol, 249M; keith morris 178M; Martyn Evans 210u; MBI 175ol; Michael Burrell 213Mro; Michael Foyle 184ul; Oleksiy Maksymenko 105oM; Paul Weston 168ur; Prisma Bildagentur AG 246u; Radharc Images 197or; RBtravel 112ol; Ruslan Kudrin 176ol; Sasa Huzjak 258o; Sergey Kravchenko 37Mo; Sergio Azenha 270uM; Stanca Sanda (iPad is a trademark of Apple Inc., registered in the U.S. and other countries) 176uM; Stock Connection 287uMr; tarczas 35Mr; vitaly suprun 176Ml; Wavebreak Media ltd 39Ml, 174u, 175or; **Allsport/Getty Images:** 238Ml; **Alvey and Towers:** 209 oMr, 215uMl, 215uMr, 241Mr; **Peter Anderson:** 188Mur, 271ur. **Anthony Blake Photo Library:** Charlie Stebbings 114Ml; John Sims 114oMl; **Andyalte:** 98ol; **apple mac computers:** 268oMr; **Arcaid:** John Edward Linden 301ul; Martine Hamilton Knight, Architects: Chapman Taylor Partners, 213Ml; Richard Bryant 301ur; **Argos:** 41oMl, 66Mul, 66Ml, 66ur, 66uMl, 69Ml, 70uMl, 71o, 77ol, 269oM, 270ol; **Axiom:** Eitan Simanor 105uMr; Ian Cumming 104; Vicki Couchman 148Mr; **Beken Of Cowes Ltd:** 215MuM; **Bosch:** 76oMr, 76oM, 76oMl; **Camera Press:** 38or, 256o, 257Mr; Barry J. Holmes 148or; Jane Hanger 159Mr; Mary Germanou 259uM; **Corbis:** 78u; Anna Clopet 247or; Ariel Skelley / Blend Images 52l; Bettmann 181ol, 181or; Blue Jean Images 48ul; Bo Zauders 156o; Bob Rowan 152ul; Bob Winsett 247Mul; Brian Bailey 247ur; Carl and Ann Purcell 162l; Chris Rainer 247Mol; Craig Aurness 215ul; David H.Wells 249Mur; Dennis Marsico 274ul; Dimitri Lundt 236uM; Duomo 211ol; Gail Mooney 277MoMr; George Lepp 248M; Gerald Nowak 239u; Gunter Marx 248Mr; Jack Hollingsworth 231ul; Jacqui Hurst 277Mur; James L. Amos 247ul, 191Mor, 220uMr; Jan Butchofsky 277MuM; Johnathan Blair 243Mr; Jose F. Poblete 191ur; Jose Luis Pelaez.Inc 153oM; Karl Weatherly 220ul, 247oMr; Kelly Mooney Photography 259ol; Kevin Fleming 249uM; Kevin R. Morris 105or, 243ol, 243oM; Kim Sayer 249oMr; Lynn Goldsmith 258o; Macduff Everton 231uMl; Mark Gibson 249ul; Mark L. Stephenson 249oMl; Michael Pole 115or; Michael S. Yamashita 247MoMl; Mike King 247Mul; Neil Rabinowitz 214ur; Pablo Corral 115uM; Paul A. Sounders 169ur, 249MoMl; Paul J. Sutton 224M, 224ur; Phil Schermeister 227u, 248or; R. W Jones 309; Richard Morrell 189uM; Rick Doyle 241Mor; Robert Holmes 97ur, 277MoM; Roger Ressmeyer 169or; Russ Schleipman 229; The Purcell Team 211Mor; Vince Streano 194o; Wally McNamee 220or, 220uMl, 224ul; Wavebreak Media LTD 191uM; Yann Arhus-Bertrand 249ol; **Demetrio Carrasco / Dorling Kindersley (c) Herge / Les Editions Casterman:** 112MMl; **Dorling Kindersley:** Banbury Museum 35M; Five Napkin Burger 152o; **Dixons:** 270Ml, 270Mr, 270ul, 270uMl, 270uMr, 270MMr; **Dreamstime.com:** Alexander Podshivalov 179or, 191Mr; Alexxl66 268ol; Andersastphoto 176oM; Andrey Popov 191ul; Arne9001 190ol; Chaoss 26M; Designsstock 269Ml; Monkey Business Images 26Mlu; Paul Michael Hughes 162or; Serghei Starus 190uM; **Education Photos:** John Walmsley 26ol; **Empics Ltd:** Adam Day 236ur; Andy Heading 243M; Steve White 249MuM; **Getty Images:** 48uMl, 100o, 114uMr, 154ul, 287or; 94or; Don Farrall / Digital Vision 176M; Ethan Miller 270ul; Inti St Clair 179ul; Liam Norris 188ur; Sean Justice / Digital Vision 24ur; **Dennis Gilbert:** 106oM; **Hulsta:** 70o; **Ideal Standard Ltd:** 72r; **The Image Bank/Getty Images:** 58; **Impact Photos:** Eliza Armstrong 115Mr; Philip Achache 246o; **The Interior Archive:** Henry Wilson, Alfie's Market 114ul; Luke White, Architect: David Mikhail, 59ol; Simon Upton, Architect: Phillippe Starck, St Martins Lane Hotel 100uMr, 100ur; **iStockphoto.com:** asterix0597 163ol; EdStock 190ur; RichLegg 26uM; SorinVidis 27Mr; **Jason Hawkes Aerial Photography:** 216o; **Dan Johnson:** 35r; **Kos Pictures Source:** 215Mul, 240oM, 240or; David Williams 216u; **Lebrecht Collection:** Kate Mount 169uM; **MP Visual.com:** Mark Swallow 202o; **NASA:** 280Mr, 280MMl, 281ol; **P&O Princess Cruises:** 214ul; **P A Photos:** 181ur; **The Photographers' Library:** 186ul, 186uM, 186o; **Plain and Simple Kitchens:** 66o; **Powerstock Photolibrary:** 169ol, 256o, 287oM; **PunchStock:** Image Source 195or; **Rail Images:** 208M, 208 Mul, 209ur; **Red Consultancy:** Odeon cinemas 257ur; **Redferns:** 259ur; Nigel Crane 259M; **Rex Features:** 106ur, 259oM, 259or, 259ul, 280u; Charles Ommaney 114oMr; J.F.F Whitehead 243Ml; Patrick Barth 101ol; Patrick Frilet 189Mul; Scott Wiseman 287ul; **Royalty Free Images:** Getty Images/ Eyewire 154ul; **Science & Society Picture Library:** Science Museum 202u; **Science Photo Library:** IBM Research 190Mlo; NASA 281Mr; **SuperStock:** Ingram Publishing 62; Juanma Aparicio / age fotostock 172o; Nordic Photos 269ol; **Skyscan:** 168o, 182M, 298; Quick UK Ltd 212; **Sony:** 268uM; **Robert Streeter:** 154ur; **Neil Sutherland:** 82or, 83ol, 90o, 118, 188Mor, 196ol, 196or, 299Ml, 299ul; **The Travel Library:** Stuart Black 264o; **Travelex:** 97Ml; **Vauxhall:** Technik 198o, 199ol, 199or, 199ur, 199M, 199MoMl, 199MoMr, 199oMl, 199oMr, 200; **View Pictures:** Dennis Gilbert, Architects: ACDP Consulting, 106o; Dennis Gilbert, Chris Wilkinson Architects, 209or; Peter Cook, Architects: Nicholas Crimshaw and partners, 208o; **Betty Walton:** 185ur; **Colin Walton:** 2, 4, 7, 9, 10, 28, 42, 56, 92, 95M, 99ol, 99oMl, 102, 116, 120o, 138o, 146, 150o, 160, 170, 191MoMl, 192, 218, 252, 260ur, 260l, 261or, 261M, 261Mr, 271Mul, 271Mur, 271Ml, 278, 287ur, 302, 401.

Cover: Vorn: **Dreamstime.com:** Thomas Dutour – Dutourdumonde. Hinten: **Corbis:** Steven Vidler / Eurasia Press ul.

DK PICTURE LIBRARY:

Akhil Bahkshi; Patrick Baldwin; Geoff Brightling; British Museum; John Bulmer; Andrew Butler; Joe Cornish; Brian Cosgrove; Andy Crawford and Kit Hougton; Philip Dowell; Alistair Duncan; Gables; Bob Gathany; Norman Hollands; Kew Gardens; Peter James Kindersley; Vladimir Kozlik; Sam Lloyd; London Northern Bus Company Ltd; Tracy Morgan; David Murray and Jules Selmes; Musée Vivant du Cheval, France; Museum of Broadcast Communications; Museum of Natural History; NASA; National History Museum; Norfolk Rural Life Museum; Stephen Oliver; RNLI; Royal Ballet School; Guy Ryecart; Science Museum; Neil Setchfield; Ross Simms and the Winchcombe Folk Police Museum; Singapore Symphony Orchestra; Smart Museum of Art; Tony Souter; Erik Svensson and Jeppe Wikstrom; Sam Tree of Keygrove Marketing Ltd; Barrie Watts; Alan Williams; Jerry Young.

Weitere Fotografien von Colin Walton.

Colin Walton dankt: A&A News, Uckfield; Abbey Music, Tunbridge Wells; Arena Mens Clothing, Tunbridge Wells; Burrells of Tunbridge Wells; Gary at Di Marco's; Jeremy's Home Store, Tunbridge Wells; Noakes of Tunbridge Wells; Ottakar's, Tunbridge Wells; Selby's of Uckfield; Sevenoaks Sound and Vision; Westfield, Royal Victoria Place, Tunbridge Wells.

Alle anderen Abbildungen © Dorling Kindersley. Weitere Informationen unter:
www.dkimages.com

english • deutsch